D0808562

Le piège du désir

CARA SUMMERS

Le piège du désir

COLLECTION

Audace

Cet ouvrage a été publié en langue anglaise
sous le titre :
GAME FOR ANYTHING

Traduction française de
EMMA PAULE

HARLEQUIN®

est une marque déposée du Groupe Harlequin
et Audace® est une marque déposée d'Harlequin S.A.

83-85, boulevard Vincent-Auriol, 75013 PARIS — Tél. : 01 42 16 63 63
Service Lectrices — Tél. : 01 45 82 47 47
ISBN 2-280-17423-5

Prologue

— C'est fini, princesse.

La panique de Sophie reflua à l'instant même où elle l'entendit. Il allait la libérer.

Les bâillons qu'elle avait sur les yeux et la bouche l'empêchaient de le voir ou de prononcer son nom, mais elle avait reconnu sa voix et son toucher. Il avait à peine effleuré sa gorge du bout des doigts qu'elle avait la peau en feu.

Depuis qu'elle avait été kidnappée, trois jours plus tôt, elle savait que Tracker McGuire viendrait la secourir. Bien sûr, elle s'attendait à ce qu'il lui reproche de l'avoir berné et fait courir dans tout le pays. Elle s'y était préparée. Mais il eut des gestes très doux, la voix rassurante.

— N'ayez pas peur.

Il allait la toucher, s'assurer qu'elle allait bien, et elle en tremblait d'avance. Et lorsqu'il le fit, la pression de ses doigts qui suivaient la ligne de ses épaules, descendaient le long de ses bras, mit le feu à son corps tout entier.

Elle avait toujours la même réaction primitive. Il la touchait, son désir croissant devenait presque douloureux, et elle commençait à bouger, à se cambrer, éperdue et avide.

Lorsqu'il agrippa sa taille, ce fut comme si une décharge électrique la traversait de part en part, et elle souleva les hanches.

Encore. Mais les mains poursuivirent leur minutieuse exploration sur ses hanches, ses jambes. Pure torture.

— Encore une minute, et vous serez libre, dit-il en enlevant ses deux bâillons. N'ouvrez pas encore les yeux.

Ses bras enfin libres, elle les passa autour de son cou et serra fort. *Sauvée*. A présent, il allait pouvoir la débarrasser de ce feu terrible qu'il avait fait naître en elle. Il le fallait. Il lui caressa les cheveux, puis glissa deux doigts sous son menton et le leva.

— Je vous en prie...

C'était elle, qui avait dit cela ? Mystère. Mais il effleura sa bouche de la sienne, ses lèvres de sa langue.

— Oui.

Son corps se modela de lui-même aux angles durs du sien, mais ce ne fut pas assez. Elle en voulait plus, bien plus. Les doigts entortillés dans ses cheveux, elle se cambra contre lui. *Viens... s'il te plaît*.

Puis, quand elle se crut sur le point de mourir de désir, il approfondit enfin son baiser, insatiable, et glissa une main entre ses cuisses.

Oui. Tu y es presque. Cisaillée de désir, elle se pressa plus encore contre lui. La tension augmenta, implacable, et quand il glissa un doigt en elle, l'orgasme monta, irrépressible, violent, et elle explosa.

Ce fut le son de son propre cri qui arracha Sophie à son rêve. Terrassée par l'intensité du plaisir qu'elle venait de connaître, elle demeura un instant étendue, frémissante. Les poings refermés sur les draps chiffonnés, elle avait le corps trempé de sueur, le souffle court. En ouvrant les yeux, elle vit que Chester, son chat, avait les yeux braqués sur elle.

— Tout va bien, murmura-t-elle, posant la main sur la fourrure de son ange gardien.

Apparemment incrédule, le chat la regarda d'un air hautain.

Sophie réprima un soupir. C'était son frère, Lucas, qui lui avait offert Chester quand elle avait quitté la maison familiale pour venir s'installer au-dessus de Antiquités, sa boutique de Georgetown. Cinq ans déjà… Et Chester se faisait toujours un malin plaisir à la pousser à l'honnêteté vis-à-vis d'elle-même.

— Bon, d'accord, tu as gagné, admit-elle en s'asseyant dans son lit. Ça ne va pas. Mais alors, pas du tout.

Et comment pourrait-il en être autrement, alors que le meilleur et le seul amant qu'elle ait eu depuis un an ne venait lui rendre visite… qu'en rêve ?

Et que celui-là même qui était à l'origine de ses songes torrides était un homme qui avait le don de la mettre en boule dans la vie de tous les jours : le dénommé Tracker McGuire, qu'elle avait baptisé « Fantômas ». Son frère l'avait embauché deux ans auparavant afin d'assurer la sécurité de Wainright & Co, mais pour autant qu'elle puisse en juger, son ordre de mission stipulait : « Empêcher à tout prix l'enfant gâtée et inadaptée sociale que le patron a pour sœur de causer la ruine de Wainright & Co. »

Malheureusement, elle avait bien failli réussir par deux fois, en se laissant piéger par des chasseurs de dot qui n'en avaient qu'après l'argent des Wainright, ce qui ne laissait pas d'alimenter sa fureur et son humiliation. Et le fait que sa faiblesse et sa stupidité aient été découvertes par un parfait inconnu ne faisait que retourner le couteau dans la plaie. Tracker McGuire savait maintenant ce que savait chaque membre de la famille : elle ne méritait pas de porter le nom de Wainright.

La surveillance continue qu'avait exercée Tracker sur elle, au cours de l'année écoulée, ne faisait que confirmer la méfiance de son frère. Chaque fois qu'elle sortait retrouver des amis, le soir, elle percevait la présence invisible de Tracker. Parfois, elle avait même l'impression de sentir son regard courir sur elle, et c'était une impression si intense qu'il aurait tout aussi bien pu la toucher. Cependant, elle ne parvenait jamais à le repérer.

Sauf dans ses rêves.

— Zut, zut et zut ! lança-t-elle en se levant, empoignant le chat et filant vers la cuisine. Il faut que j'arrive à me débarrasser de lui.

Chester renifla.

— Oh toi, ça va ! maugréa-t-elle, pointant un doigt accusateur sur lui dès qu'elle l'eut posé sur le plan de travail. C'est vrai, quoi ! Ça fait une bonne année que je fantasme sur cet amant fantôme, alors qu'il ne m'approche jamais dans la vraie vie. Et tant que je l'aurai, je n'en voudrai aucun autre.

Chester se garda de tout commentaire.

— Ça en devient pathétique.

Elle ouvrit le réfrigérateur, en sortit une bière, en versa un peu dans une soucoupe et la posa devant lui. Puis elle saisit son péché mignon : de la pizza froide.

— Résumons : il y en a un dont je ne veux pas, c'est John Landry.

Là ! Elle l'avait dit. Tout haut.

Chester se frotta contre son bras.

— Tu te prends encore pour un sérum de vérité, pas vrai ?

Il retourna à sa bière.

Un coup d'œil à la pizza lui apprit qu'elle avait perdu son appétit. Cela faisait deux semaines qu'elle sortait avec John, et il avait tout ce qu'elle aurait dû vouloir chez un homme. Il était beau, doux, attentif, prévenant, et assez riche pour que Lucas ne le soupçonne pas d'en vouloir à la fortune familiale. Et il partageait même sa passion pour les antiquités.

Mais le problème, c'était que deux semaines en sa compagnie ne l'avaient pas guérie de ses rêves concernant Tracker. Si ce soir devait servir d'exemple, alors sortir avec John Landry ne faisait qu'intensifier son désir pour Fantômas.

Elle rangea la pizza dans le réfrigérateur sans la toucher.

— Bon. Il va falloir jeter John.

Le silence de Chester fut révélateur. Il approuvait.

— Je n'aime pas larguer les gens.

Elle n'aimait pas plus le faire, vis-à-vis des autres, qu'elle n'avait aimé l'être par ses propres parents. Mais ce ne serait pas juste de continuer à laisser espérer ce pauvre John. Même maintenant, elle avait du mal à se souvenir de sa tête. A peine eut-elle réussi à visualiser ses cheveux blonds et son visage mince et aristocratique, que l'image se brouilla au profit des pommettes saillantes et de la tignasse brune en bataille de Tracker McGuire.

— Nom de nom !

Il va falloir trouver le moyen de cesser de penser à lui, songea-t-elle, transportant Chester sur le canapé.

— Et un film, qu'est-ce que tu en dis ?

Avec un peu de chance, elle arriverait bien à dénicher sur le câble un vieux classique qui la distrairait et lui permettrait de passer une fin de nuit sans rêves.

Quelques instants plus tard, elle localisa un de ses films préférés, *La main au collet*. Pelotonnée contre les coussins, elle regarda Grace Kelly conduire une décapotable sur les routes de Monte Carlo, avec Cary Grant à son côté. Cette femme avait un but. Elle voulait Cary, et elle allait l'avoir.

Cary Grant valait définitivement le détour. Dans la fleur de l'âge, à l'époque où le film avait été tourné, il s'était coulé magnifiquement dans ce rôle de cambrioleur aussi beau que dangereux. D'ailleurs, il lui rappelait un peu Tracker. Tous deux étaient auréolés de danger et de mystère.

Et, comme Grace, elle avait toujours pensé qu'elle était une femme forte et volontaire, prête à prendre des risques. Jusqu'au jour où elle en avait pris un de trop et avait été kidnappée. Dieu merci, elle avait été sauvée par Tracker McGuire !

Tout ce qu'elle savait de cet homme se résumait au fait, qu'à l'armée, Lucas et lui avaient accompli des missions ensemble, des missions dont son frère refusait de parler. Le personnage de Cary Grant avait ses secrets, lui aussi. Et puis il y avait autre chose dans le film qui lui rappelait Tracker : l'ex-cambrioleur refusait de se lier avec l'Américaine riche et gâtée que jouait Grace Kelly.

Bien sûr, cela n'avait pas refroidi le moins du monde Grace. Yeux plissés d'admiration, Sophie la regarda ouvrir le panier de pique-nique et rire, mutine, à un mot de Cary.

Tracker, elle le verrait demain soir, à la soirée d'anniversaire. Lucas voulait offrir à Mac, sa femme, une réplique de leur mariage dans ses moindres détails. Tracker avait été le témoin de Lucas. Il n'oserait donc pas rester à l'écart. L'esprit en ébullition, elle songea qu'elle pourrait inviter John Landry à y aller avec elle… et pourquoi pas Carter Mitchell, également ? Gérant de la boutique voisine de la sienne, il ne refuserait pas de lui rendre un petit service. Si elle arrivait en compagnie de deux hommes, Tracker ne… *Non.*

— Non, je ne suis pas, mais alors vraiment pas, en train de songer à séduire Tracker McGuire.

Le sourd grondement de gorge de Chester en dit long sur son scepticisme.

— Oh, toi, le chat, tais-toi !

Mais il avait raison, comme d'habitude. Car c'était bien *cela,* qu'elle avait en tête. Pourquoi Grace serait-elle la seule à s'amuser ? Et pourquoi devrait-elle passer d'autres nuits à rêver de Tracker sans espoir de concrétiser son fantasme ?

Il fallait que cela cesse : se comporter en fille sage et bien élevée, et sortir avec le genre d'homme qui plairait à son frère, n'avaient rien donné.

Peut-être le seul moyen de se libérer du piège dans lequel elle était tombée était-il de séduire l'homme qui l'y avait poussée…

1.

— Lucas, acceptes-tu de prendre cette femme pour légitime épouse ?

Sophie retint une larme en entendant le « Oui » de son frère. Lui qui n'avait jamais été romantique, avait été transformé par le mariage.

— Mac, acceptes-tu de prendre cet homme pour légitime époux ?

Une nouvelle larme mouilla ses yeux quand son amie réitéra ses vœux. Demoiselle d'honneur et témoin, Sophie se tenait juste derrière la mariée, au coude à coude avec le garçon d'honneur et témoin, Tracker McGuire. Déjà ultra sensible à sa présence, elle n'allait pas en plus pleurer devant lui !

— Par les pouvoirs qui me sont conférés…

Elle renifla. Une larme coula sur sa joue. Allons bon, la stratégie qu'elle avait élaborée en vue de capter l'attention du monsieur ne valait pas un clou. Déjà, son arrivée en compagnie de deux soupirants avait fait un flop, puisque Fantômas ne s'était montré qu'à l'heure de l'escorter vers le dais installé dans la roseraie. Et une fois encore, il lui avait suffi de poser une main légère dans son dos, un geste à peine ébauché, pour que renaisse en elle le fantasme de ses mains la caressant partout.

Zut ! songea-t-elle, réprimant une deuxième larme. Grace Kelly n'avait pas pleuré devant Cary Grant ! Elle n'avait été que sourires, pique-niques au champagne et détermination tenace.

Et plus important encore, sa stratégie avait fonctionné.

— Je vous déclare à présent mari et femme.

Quand Lucas et Mac se tournèrent l'un vers l'autre pour s'embrasser, Sophie sentit que la deuxième larme échappait à son contrôle. Ne partageaient-ils pas ce dont elle avait toujours rêvé - l'intimité avec la personne qu'on aime et qui vous aime ?

Espérant que personne ne le remarquerait, elle s'essuya subrepticement la joue. Le bras de Tracker effleura le sien quand il se rapprocha pour presser un mouchoir dans sa main. Un éclair de chaleur la traversa.

— Ça va, princesse ?

Comment cela pourrait-il aller, alors qu'elle fondait de désir et de frustration mêlés ? Alors que l'homme qui était responsable de cet état la traitait comme une petite sœur ? Elle parvint à hocher la tête en se tamponnant les yeux.

Mais n'était-ce pas là justement l'histoire de sa vie ? Les hommes qui voulaient la séduire n'en avaient qu'après son argent ; et celui qu'elle voulait séduire était ravi de jouer auprès d'elle le rôle du grand frère protecteur.

Cillant à plusieurs reprises, elle ordonna à ses larmes de tarir. Elle était venue dans l'intention de modifier cet état de choses, non ? Si le plan A - attiser la jalousie de Tracker -, avait échoué, alors elle allait devoir en imaginer un autre. Et vite !

Tout en regardant son frère et sa meilleure amie se tourner vers leurs invités dans un tonnerre d'applaudissements, elle fit un pas de côté et, l'espace d'un instant, croisa le regard de Tracker. Entièrement vêtu de noir, cet homme irradiait le mystère, le danger aussi. Ainsi que le sexe - torride, primitif, irrésistible. Elle en resta un instant sous le choc.

Moralité : elle était dans le pétrin. C'était une chose que de planifier une opération de séduction, mais c'en était une autre de la mettre à exécution, quand un seul regard vers l'homme de vos désirs suffisait à vous couper les jambes !

C'était bien sa veine, d'être tombée sur un homme qui possédait la séduction à la puissance 3. Primo, il avait un corps superbe, puissant et athlétique. Secundo, il avait une bouche géniale, qu'il valait mieux ne pas regarder trop longtemps. Et tertio, il y avait ses yeux, et la manière qu'ils avaient de la dévisager, comme s'il connaissait tous ses secrets et qu'il attendait juste qu'elle fasse un geste pour pouvoir la contrer.

Ça lui donnait envie de faire quelque chose, un truc auquel il ne s'attendrait jamais.

Là était la clé. Elle prit une grande inspiration.

Bon, quelque chose à quoi il ne s'attendrait pas, à la fois subtil et rusé. Le défi la stimula.

— Hé, vous deux ! les héla Lucas.

Elle sursauta, détacha son regard de Tracker et le reporta sur son frère. Mac et lui avaient déjà commencé à descendre l'allée que formaient les invités.

— Restez près de nous, reprit Lucas dès qu'il eut capté leur attention. On va directement à la piste de danse, comme le jour du mariage.

Oui, décida-t-elle en descendant au côté de Tracker vers l'estrade qui avait été installée pour les danseurs. Une danse, ce serait un bon début. Et peut-être qu'un petit jeu innocent…

Une danse. Et rien d'autre. Juste un geste poli, social, un autre des multiples rituels que Lucas avait décidé de reproduire en l'honneur de sa femme. Voilà ce que se dit Tracker en pilotant Sophie vers la piste de danse. Il s'était écoulé un an depuis qu'il avait tenu la princesse dans ses bras, un an depuis qu'il avait décidé de maintenir ses distances vis-à-vis d'elle. Et il avait eu beau s'y préparer, il ne put empêcher son corps de réagir à l'idée de la serrer contre lui.

Comme s'ils étaient intimes, alors qu'ils ne l'étaient que dans les rêves qui le hantaient chaque nuit depuis un an. Un ou deux d'entre eux revinrent lui titiller la mémoire alors que démarrait la musique. Puis sa main épousa la sienne, paume contre paume, et elle leva l'autre pour la poser sur son épaule. Ils ne se touchèrent qu'à ces endroits précis, mais il imagina ses longs doigts effleurant sa peau, et se sentit prendre feu.

Des fantasmes, c'est tout ce qu'il aurait de Sophie Wainright, se remémora-t-il. Il ne se passait guère un jour sans qu'il se rappelle les raisons pour lesquelles il avait décidé de la fuir.

Primo, elle était la sœur du patron. Et secundo, le boss était également son meilleur ami et la plus proche famille qu'il ait jamais eue.

Une aventure avec Sophie Wainright était hors de question.

Et le reste était impossible. Ils ne venaient pas du même monde, et il n'y avait que dans les contes de fées que les chevaliers servants pouvaient croire en un futur possible avec leur princesse.

Seulement, elle était très près, en ce moment, et chaque fois que la danse faisait entrer leurs corps en contact, le désir qu'il avait d'elle montait inexorablement. Une chose était parfaitement claire : il ne maîtrisait pas plus ses réactions vis-à-vis d'elle qu'il n'avait été capable de s'en éloigner définitivement.

Lucas lui avait demandé de garder un œil sur elle après le kidnapping, et il aurait pu en charger n'importe lequel de ses hommes, mais il n'avait pas réussi à renoncer à sa surveillance personnelle.

Et cela l'inquiétait. Sa faculté à développer un contrôle de fer sur ses émotions faisait partie des rares choses dans sa vie dont il était fier. Fils d'un père violent, il savait qu'il avait hérité certaines de ses propensions. Pour preuve, le travail qu'il avait fait pour le gouvernement. Il ne pouvait permettre à personne de se rapprocher de lui, et surtout pas à Sophie qui, plus qu'aucune autre femme, menaçait son sang-froid.

Même maintenant, il ne paraissait pas capable de résister à l'envie de l'attirer plus près, de se soumettre à la torture qu'était le frôlement constant de son corps contre le sien. Chaque fois qu'elle se déplaçait, il percevait son mouvement, et la douleur augmentait en lui.

Il voulait Sophie. L'avoir si près de lui et ne pas pouvoir exiger davantage le rendait fou.

— Ce n'est tout bonnement pas juste, dit-elle.

Cette déclaration répercutait tant ses pensées qu'il crut un instant qu'elle avait lu en lui.

— Qu'est-ce qui n'est pas juste ? lui demanda-t-il, baissant les yeux vers elle.

Au moment où il plongea dans son regard noisette, il eut un blanc. Tout ce qu'il put voir, tout ce qu'il put absorber, ce fut Sophie. Elle avait le plus joli visage qu'il connaissait. Ovale, divinement dessiné, la peau claire. De si près, il pouvait voir ce qu'il ne voyait jamais dans ses fantasmes : il y avait d'infimes défauts dans cette peau presque translucide. Une pluie de taches de rousseur sur le nez, une minuscule cicatrice sur le menton… Un homme pourrait penser qu'elle était délicate s'il n'avait pas remarqué la ligne volontaire de sa mâchoire.

Son regard s'arrêta à sa bouche. Elle avait les lèvres entrouvertes, humides… et mobiles. Il se secoua en comprenant qu'elle lui parlait.

— D'accord avec moi ?

Un type petit et râblé les bouscula, et pour la première fois, il comprit que d'autres les avaient rejoints sur la piste. Que le rythme de la musique avait changé. Depuis combien de temps fantasmait-il en tenant Sophie dans ses bras ?

— Eh bien, vous ne trouvez pas ? insista-t-elle.

Elle lui souriait. Il plissa les yeux. La princesse ne faisait pas cela souvent, ce qui éveilla sa méfiance.

— D'accord avec vous à quel sujet ?

— Que ce n'est pas juste. Vous savez absolument tout de moi, et je ne connais pratiquement rien de vous.

— Vous savez tout ce que vous avez besoin de savoir.

Elle secoua la tête.

— Je ne connais même pas votre véritable nom. Selon Lucas, le nom de « Tracker » vous est venu à l'armée, parce que vous pouvez pister n'importe quoi ou qui. Je ne sais même pas d'où vous venez. Et si on jouait un peu ?

— A quelle sorte de jeu ? s'enquit-il, méfiant.

— Oh, arrêtez de faire votre ronchon. Je pense au jeu des questions, vingt questions, chacun son tour. Vous m'en posez une, et moi une, et ainsi de suite.

Il l'étudia tout en l'entraînant vers le bord de la piste. Il avait beaucoup appris sur elle, l'année précédente, quand elle l'avait obligé à écumer le pays pour la retrouver. Quant à elle, elle avait incontestablement une idée derrière la tête. Elle avait dans l'œil cet éclat caractéristique, auquel il ne put que réagir.

— Et si je refuse de répondre à une question en particulier ?

— Vous prenez un joker. Mais il est assorti d'un gage, bien évidemment. Disons... un truc simple, pour commencer..., réfléchit-elle à voix haute, avant de lui tapoter la poitrine du doigt. Je sais. Si vous ne répondez pas à une question, le gage sera un baiser. Qu'en dites-vous ? Ça vous tente ?

Non. Il devait dire non. Mais il avait déjà le corps en feu à l'idée de prendre sa bouche, de la goûter juste une fois. Ses mains, elles, s'étaient déjà posées sur sa taille. Ses lèvres n'étaient plus qu'à quelques centimètres des siennes, et...

Non. Il devrait tout arrêter tout de suite, la repousser gentiment et s'en aller. Alors qu'il s'efforçait d'obliger son corps à suivre ses ordres, elle se mit sur la pointe des pieds et rapprocha encore sa bouche.

— Je vais vous faciliter les choses.

Son souffle tiède sur sa peau signa sa perte.

— A vous de commencer. Demandez-moi ce que vous voulez, proposa-t-elle.

Le serpent du Jardin d'Éden n'avait pas dû être moins persuasif… Il était à la torture…

— Je sais, reprit-elle. Vous m'avez suivie partout dans Georgetown, toutes les fois où je suis sortie avec John Landry. Je parie que vous avez des questions à son propos, des choses que vous n'avez pas été capable de découvrir. N'aimeriez-vous pas connaître mes projets, afin de pouvoir en informer Lucas ? N'avez-vous pas envie de savoir si je suis amoureuse de lui ?

— Etes-vous amoureuse de lui ?

Cette question, qui le rongeait mieux que l'acide depuis la première fois qu'elle avait accepté un rendez-vous avec Landry, lui avait échappé avant même qu'il s'en rende compte. Sur le personnage en question, il avait tout vérifié. Fortune ancienne, famille bien sous tous rapports, mère apparentée à un comte : rien à dire. Sophie l'avait rencontré lors d'un de ses voyages d'affaires, car il aimait également les antiquités. Bref, il était l'homme idéal pour elle. C'était du moins ce qu'il avait affirmé à Lucas.

Sophie ébaucha un sourire.

— Je crois que je vais prendre un joker.

— Pardon ?

— Je choisis de ne pas répondre à la question. Vous pouvez réclamer votre gage.

Elle avait maintenant dans le regard un mélange d'amusement et d'insouciance. Et autre chose, également, qui ne fit rien pour atténuer son érection.

— Vous aviez déjà décidé de ne répondre à aucune question, je me trompe ?

— C'est une autre question, et vous n'avez même pas réclamé le gage de la première. A moins que…, supputa-t-elle, le regard narquois, vous ne soyez trop lâche pour le réclamer ?

— Ne jouez pas avec le feu, murmura-t-il, resserrant ses bras autour d'elle et la pressant contre lui.

Il aurait pu jurer que plus il l'attirait à lui, plus elle se détendait. Sur sa gorge, une veine pulsait frénétiquement. Il vit ses yeux noisette s'assombrir.

Sa réaction le stimula à un point incroyable, et il comprit que c'était lui qui jouait avec le feu. Sa bouche n'était qu'à un millimètre de la sienne. La goûter une fois, juste une, suffirait peut-être à apaiser cette terrible faim…

Plus tard, il ne sut jamais lequel des deux avait aboli la distance entre eux, mais soudain leurs bouches s'effleurèrent. Et il crut qu'un séisme venait d'ébranler le sol, avant que tout ne s'efface de son esprit. Il n'y eut plus que ses mains, qui incendiaient sa peau en remontant de sa nuque à ses cheveux, que ses dents qui lui mordillaient la lèvre, que sa langue qui flirtait avec la sienne. Il avait tant rêvé de son goût, mais il était différent, bien plus doux qu'il ne l'aurait cru. Elle avait un parfum de limonade, et il n'arriverait jamais à en boire assez pour étancher sa soif. Eperdu, il inclina différemment la tête et prit passionnément sa bouche. Il y découvrit d'autres saveurs, une palette inépuisable de saveurs différentes.

Il fallait qu'il la touche, aussi. En un geste aussi vif que possessif, il fit courir ses mains de sa taille aux côtés de ses seins. Cela faisait si longtemps qu'il attendait de poser ses mains sur elle, si longtemps… Aussi douce que dans ses fantasmes. Son esprit se mit aux abonnés absents et il n'eut plus qu'une image en tête : ce corps souple sous le sien, lui rendant coup de rein pour coup de rein…

La rage du désespoir, Sophie la perçut dans la rude emprise de ses mains, dans la passion vorace de son baiser, et le plaisir crût en elle par vagues successives. Mais ce ne fut encore pas assez pour elle.

Amant fantasmé, il s'était montré prévenant, attentif, mais il ne l'avait jamais emmenée aussi loin. Le désir qu'il venait de provoquer en elle était intense, sauvage, incandescent. Son cœur battait follement dans sa poitrine. Quant à son esprit… il semblait avoir eu un court-circuit.

Les questions se bousculèrent en elle dans un ordre anarchique. Pourquoi avoir attendu si longtemps pour le séduire ? Pourquoi avoir choisi de le faire au beau milieu d'une réception, devant tant de gens ? Pourquoi, mais *pourquoi* ne filaient-ils pas ailleurs…?

Elle se dressa sur l'extrême pointe des pieds, resserra ses bras autour de son cou et se colla plus près de lui, le ventre contre son sexe en érection. Le gémissement qu'il poussa lui communiqua plus encore le désir qu'il avait d'elle par tous les pores de sa peau ; elle s'efforçait de se rapprocher encore quand il lui attrapa les poignets, écarta un bras, puis l'autre, et fit un pas en arrière.

Soudain saisie par une désagréable sensation de froid et d'un intolérable sentiment d'abandon, elle voulut inspirer à fond, mais ses poumons étaient en feu. Et le pire, c'était que Tracker la fixait toujours avec l'air de vouloir la dévorer.

— Pourquoi ? demanda-t-elle en le défiant du regard.

— Bon sang, princesse, regardez autour de vous.

Elle le fit, et la réalité la frappa alors de plein fouet. Elle avait totalement oublié qu'ils se trouvaient au bord de la piste de danse, au milieu de la foule.

Quelqu'un s'éclaircit la voix.

— Euh… je dérange ?

2.

Il fallut une bonne minute à Tracker pour comprendre la question, et une autre pour recouvrer suffisamment ses esprits et reconnaître le possesseur de la voix : John Landry, le parti idéal pour Sophie Wainright.

Oui, tu déranges. Mais il serra les lèvres et les poings, malgré son envie de balancer le personnage par-dessus le bord de l'estrade. Derrière Landry, il voyait des couples en train de danser, et il reprit pleinement pied.

Cette femme était une sorcière, une magicienne. A peine avait-il goûté, mordu ses lèvres, sa bouche, qu'il avait complètement perdu les pédales au point d'en oublier où il se trouvait. Il l'avait pratiquement prise là, sur la piste. Mais qu'avait-il en tête ?

— Sophie ? Ça va ? s'enquit Landry.

Elle avait l'air aussi secouée qu'il l'était, constata-t-il en la regardant. Et le pire, c'est qu'il fut pris de l'envie irrépressible de tendre les bras, de l'attirer à lui et de la tenir serrée, tout simplement. Et il l'aurait probablement fait si Landry ne lui avait pas pris le bras.

— Sophie, intervint alors Mac en arrivant, et en décochant un sourire d'excuse à John. Désolée de vous interrompre, mais il faut que je vous emprunte ma demoiselle d'honneur un instant. Une petite urgence vestimentaire, cela ne va pas être long.

Sur ce, elle offrit un sourire penaud à John, un autre à Tracker, et entraîna son amie par la main. Lucas, souriant jusqu'aux oreilles, vint rejoindre les deux hommes.

— Mac a un petit problème de garde-robe, expliqua-t-il à Landry. Ensuite, Sophie sera toute à vous.

Il faudra me passer sur le corps, songea Tracker avant même de s'en rendre compte. Seigneur, pourvu qu'il ne l'ait pas dit à voix haute.

— Pas de problème, répondit Landry, je vais aller me chercher un verre.

Tracker ne le lâcha pas du regard tant qu'il n'eut pas disparu de l'estrade.

— Je perçois comme de l'hostilité dans l'air, fit alors remarquer Lucas. Mac et moi sommes ravis de voir que Sophie recommence à sortir un peu. Mais si jamais tu avais découvert quelque chose sur Landry que je devrais savoir…

Manifestement, son ami ne l'avait pas vu embrasser sa sœur, constata Tracker, scrutant son visage. Bien ! Ce baiser avait été une erreur. Il ne la commettrait plus.

— Non. Vérifications faites, rien n'indique qu'il en ait après son argent.

La jalousie, découvrit-il alors, avait un goût amer. C'était Landry qui correspondait le mieux à Sophie, pas lui. Et il était bien plus facile de vivre avec cette certitude avant de l'avoir embrassée. Il repoussa délibérément ce souvenir.

— Mac a une mine radieuse. Quelle est donc cette urgence ?

— Elle a eu un problème de bouton de jupe, répondit Lucas en se penchant vers lui. Le bébé grossit.

Tracker observa de nouveau son ami. Ses yeux brillaient de fierté. Et, soudain, il l'envia.

— Tu as gagné le gros lot, on dirait. Non ?

— Tu l'as dit, répondit Lucas, glissant un bras autour de ses épaules. Viens donc faire un tour dans mon bureau. On va trinquer à tout cela. Et puis… j'ai une petite surprise pour toi. Un vieux copain que ni toi ni moi n'avons vu depuis longtemps.

— Voilà. Je vais peut-être avoir l'air d'être en pyjama, mais je me sens mille fois mieux, déclara Mac, pressant les mains sur son ventre rond tout en s'étudiant dans le miroir.

Elle avait ôté sa tenue de soirée, jupe et tunique, et enfilé un ensemble d'intérieur en soie blanche.

— Tu es superbe, dit Sophie. Et tu n'as pas à t'inquiéter que ton mari aille voir ailleurs sous prétexte que tu es enceinte. Il est complètement gaga de toi.

— C'est mutuel, répondit Mac, s'efforçant de sourire pour dissimuler l'émotion qui lui avait fait venir les larmes aux yeux. Et je n'ai pas peur, non. Il a organisé cette réception et m'emmène, de nouveau, dans l'île où nous avons passé notre lune de miel pour me faire comprendre que même si je ressemble à une montgolfière, rien n'a changé. Il sera toujours près de moi.

Un nœud se forma dans l'estomac de Sophie.

— Personne n'a jamais fait une chose pareille pour moi, poursuivit Mac. Et je te remercie. Si tu ne m'avais pas poussée à mener ma recherche sur ton frère, l'an dernier…

Sophie sortit le mouchoir de Tracker de son sac et le lui tendit.

— Oui, bon, ce n'était pas totalement désintéressé de ma part, avoua-t-elle, ne se souvenant que trop de son humiliation de l'époque, quand son frère et Tracker McGuire lui avaient prouvé que son fiancé d'alors n'en voulait qu'à son argent. Je me suis servie de toi. J'en avais tellement assez de Lucas que je me suis dit que si tu te livrais à tes petits exercices de fantasmes sexuels sur lui, il relâcherait peut-être sa surveillance.

Le pompon, c'était que ça lui avait donné l'immense plaisir de semer Tracker.

— Tu as insisté pour je fasse mes recherches avec Lucas parce que tu refusais que je les fasse avec des inconnus, corrigea Mac. Plus encore, quand j'ai voulu tout arrêter et me sauver en courant, tu m'as insufflé le courage de tenir bon. Tu as été mon modèle, et je te sais gré de cela.

— N'importe quoi ! s'exclama Sophie. Lucas et toi êtes faits l'un pour l'autre.

— Etre faits l'un pour l'autre ne suffit pas, crois-en une experte dans le domaine. Je ne serais pas ici, aujourd'hui, si tu ne m'avais pas persuadée de partir dans cette île à ta place. Lucas ne voulait absolument pas d'une relation. Et en plus, je ne suis même pas son type.

— Mac, je…, tenta de se défendre Sophie, gênée.

— Taratata. Laisse-moi terminer. A mon tour, de te donner un coup de pouce. Je t'ai vue embrasser Tracker, tout à l'heure.

Seigneur… Tout le monde avait dû les voir !

— Je… en fait, je… nous…

Elle ne s'était pas autorisée à y repenser depuis que Mac était venue la chercher. En commençant le jeu, elle ne s'était certes pas attendue à ce qu'il aille aussi loin. Et elle avait tout oublié : le jeu, son plan, tout ce qui n'était pas Tracker.

— Tu as dû te dire…

— Je me suis dit qu'il était grand temps que tu fasses quelque chose en ce qui le concerne.

— Vraiment ? s'exclama Sophie, interloquée.

— A partir du moment où c'est l'homme le plus maître de lui et le plus indépendant que je connaisse, je crois que tu as très bien fait de prendre l'initiative. Mais je meurs d'envie de savoir comment tu l'as poussé à t'embrasser.

Sophie laissa échapper un rire sans joie.

— Me croiras-tu si je te dis que je lui ai proposé un jeu de vingt questions, et que le gage pour une absence de réponse était un baiser ?

— Quelle idée géniale ! s'exclama Mac en sortant un bloc de son sac. Je ne crois pas avoir déjà rencontré cela dans mes recherches. Vingt questions…, marmonna-t-elle, griffonnant furieusement.

— Oui. Et n'oublie pas l'avertissement : c'est un jeu auquel il vaut mieux jouer en privé.

— Il embrasse si bien que cela ? demanda Mac, levant les yeux vers elle.

— Je suis presque certaine qu'il m'a grillé plusieurs neurones, répondit Sophie, acquiesçant. Je ne sentais même plus mes jambes quand tu m'as entraînée à ta suite. Et s'il n'y avait pas mis un terme un peu brutal… eh bien, ta soirée d'anniversaire aurait peut-être été émaillée d'un incident classé X.

Mac éclata de rire, et elle l'imita peu après. Elles durent s'asseoir au bord du lit pour reprendre leur souffle.

— Je ne sais même pas pourquoi je ris, dit Sophie. Tracker aura probablement disparu quand je redescendrai.

— Je ne crois pas, rétorqua son amie. Il y a quelque chose, entre vous. Je le perçois chaque fois que vous êtes ensemble quelque part.

— Ce qui est rare. Il m'évite comme la peste. Et quand il est obligé de rester dans les parages, il me traite comme une petite sœur.

— Pas ce soir. Et il ne te regarde *jamais* comme un homme regarde sa petite sœur. Il donne plutôt l'impression de vouloir te jeter sur son épaule pour t'emporter dans sa tanière. Et puis il parle de toi, tu sais.

— Ah ?

— Selon lui, tu es l'une des femmes les plus courageuses qu'il connaisse. Et l'une des plus intelligentes.

Sophie savait qu'il allait souvent passer la soirée chez Lucas et Mac, à Georgetown, mais jamais quand elle s'y trouvait.

— J'ai également remarqué la façon dont tu le regardes, ajouta Mac. Après ce baiser, ne compte pas me faire croire qu'il ne t'intéresse pas, ou du moins qu'il ne te fait pas envie.

— Pour tout t'avouer, dit Sophie, après avoir respiré une bonne fois, j'ai caressé l'idée d'avoir une aventure avec lui, mais il est si… intimidant. Je me dis que j'ai un plan… et puis il me regarde, et je ne sais plus où j'habite. Il va me falloir bien plus qu'un jeu de vingt questions avec gages.

Ce fut en souriant de toutes ses dents que Mac se leva et s'en fut vers sa commode.

— J'ai tout à fait ce qu'il te faut. En fait, j'avais prévu quelques petits objets à t'offrir, et aujourd'hui me semble particulièrement indiqué pour le faire. Mais je serai bien plus tranquille en sachant que tu les utilises avec Tracker. Il a un faible pour le jeu, surtout les jeux de hasard.

— Ah oui ? répondit Sophie, curieuse, en lorgnant le petit sac que son amie sortait d'un tiroir.

— J'ai dû faire de la télépathie, reprit Mac en opinant de la tête et en fouillant dans le sac, car je pensais justement à lui en choisissant ces objets. Là, je l'ai !

Elle tendit une pièce à Sophie.

— Un dollar ? s'étonna-t-elle.

— Une pièce à deux faces identiques. Je me suis bien amusée quand je m'en servais avec Lucas. Enfin, jusqu'à ce qu'il pige le truc.

Sophie prit la pièce et l'examina, la tête déjà fourmillante d'idées. Puis elle jeta un coup d'œil à Mac.

— Tu ne cesseras jamais de m'étonner.

— C'est ce que prétend Lucas, s'exclama Mac en sortant une paire de dés géants, en mousse habillée de feutrine.

Il n'y avait pas des chiffres, mais des mots sur chaque face. Le premier dé indiquait les actes : caresser, lécher, embrasser… Le second précisait l'endroit du corps concerné : dos, cou, seins…

— Ils sont très rigolos, affirma Mac.

Sophie retourna les dés rembourrés entre ses mains.

— Ça me paraît être un jeu où tout le monde gagne, fit-elle remarquer. Où les as-tu trouvés ?

— Sur un site Web que m'a indiqué mon amie française, déclara Mac, sortant un autre article du sac.

— Un jeu de cartes ?

— On dirait des cartes à jouer, mais en réalité ce sont des bons.

Sophie en tira un au hasard.

— Cette carte donne le droit de faire l'amour à la demande. Une sorte de « récré-sexe ». C'est le demandeur qui choisit l'heure et le lieu. Tu la donnes à l'autre, et c'est lui qui décide quand et comment réclamer sa récré ! Je choisis toujours des endroits plus risqués que Lucas. Ça le déstabilise.

— Tu es si généreuse avec lui, dit Sophie en souriant.

— Tu le seras également pour Tracker. Il est si solitaire.

Sophie n'avait jamais songé à lui associer une quelconque vulnérabilité.

— Il aura probablement besoin d'un petit encouragement. Comme Lucas en a eu besoin. Et certains de ces jouets ont des résultats surprenants.

Sophie s'empara du dernier objet que lui tendait Mac : un ruban de velours noir. Elle le fit glisser entre ses doigts.

— A quel genre de jeu joue-t-on avec ça ?

— Regarde l'étiquette, elle est très suggestive.

La carte comportait même un schéma de ce que Sophie soupçonna être une position extrêmement inventive du Kama Sutra. L'homme était assis, la femme se trouvait sur ses genoux, le dos tourné vers lui, et le ruban formait une boucle autour de... Sophie tourna la carte. Oui, il était bien enroulé autour du sexe.

— Tu es sûre que ce soit anatomiquement réalisable ?

— Hum, répondit Mac en s'éclaircissant la voix, je ne l'ai pas personnellement essayée. Je crois qu'il doit falloir un grand pouvoir de concentration pour finir par… Il vaut peut-être mieux improviser, je pense.

Sophie regarda tous les jouets sexuels qu'avait disposés Mac sur le lit.

— Je saisis parfaitement le message.

— Tracker est le candidat idéal et sûr pour les essayer.

Sûr. Oui. Malgré son aura de mystère et de danger, elle ne s'était jamais sentie plus en sécurité que lorsqu'il l'avait tenue dans ses bras, ce tout premier jour, dans le bureau de Lucas. Tout de suite après qu'elle eut boxé son frère.

— Vas-y. Lance-toi, Sophie.

— Tracker, j'aimerais te présenter Carter Mitchell, dit Lucas en fermant la porte-fenêtre de son bureau qui donnait sur le patio. Il est l'un des deux hommes qui sont venus en compagnie de Sophie.

Tracker connaissait déjà ce nom, puisque Carter Mitchell était le directeur de la galerie d'art adjacente à la boutique de Sophie, et qu'il avait chargé un de ses hommes de vérifier discrètement les allées et venues du personnage. Mais il y avait, dans la manière de se lever du personnage, un petit quelque chose qui attira son attention. Son visage non plus ne lui était pas inconnu. Il était plus mince à présent, plus dur, mais on sentait encore le côté un peu poupin du jeune homme avec lequel Lucas et lui avaient travaillé lors de leur dernière mission, six ans plus tôt.

— Chance ? dit-il, enregistrant d'un seul coup d'œil le costume de couturier italien, le fin bracelet d'or au poignet et le diamant à l'oreille gauche.

Quand ils travaillaient ensemble, il ne connaissait le personnage que sous le nom de Chance, surnom qu'ils lui avaient donné car il était toujours prêt à tenter sa chance et à prendre des risques.

— Oui, répondit-il, lui tendant la main. Je me suis dit que j'allais devoir lâcher le morceau à l'instant même où j'ai passé cette porte, en compagnie de Sophie. Mon nom est Carter Mitchell, maintenant.

Lucas alla se placer derrière son bureau.

— On dirait que notre vieil ami Chance travaille dans la clandestinité, et qu'il veut s'assurer qu'on ne lui met pas de bâtons dans les roues.

Il y avait, dans sa voix, une dureté qui poussa Tracker à retirer la main que serrait encore Chance.

— Il m'a pris à part pour me demander de ne pas ébruiter sa couverture, poursuivit Lucas avant de faire face à Chance. Maintenant, je veux une version non expurgée et non censurée de ce que tu fais, pour qui tu travailles et de l'implication éventuelle de ma sœur.

— Je travaille pour un consortium de compagnies d'assurances qui veulent récupérer des objets volés sur un site archéologique en Turquie et, principalement, trois pièces de monnaie rarissimes. Elles se trouvaient en Angleterre lorsqu'elles ont été dérobées, et le scandale a été de portée internationale. Différents services, dont Interpol et le F.B.I., sont arrivés à la conclusion que ces objets ont été transportés vers les Etats-Unis, intelligemment dissimulés dans des cargaisons à destination d'emplacements commerciaux sélectionnés. Le magasin de Sophie a été identifié comme justifiant une étroite surveillance.

— Depuis combien de temps est-elle sujette à enquête ? interrogea Lucas.

— Un mois et demi, environ. C'est pour cela que je suis devenu directeur de la galerie à côté de chez elle. Il y a un mois, nous avons eu notre premier gros coup de chance dans cette affaire. Un agent a réussi à approcher suffisamment le chef de l'opération pour arriver à acheter un objet dont nous pensons qu'il a contenu une des pièces. Elle a fait cet achat à Antiquités et était censée l'apporter en mains propres à son chef.

— *Etait* censée ? l'interrompit Tracker.

— Cinq minutes après son départ de la boutique, elle a été victime d'un accident. Deux types ont surgi de nulle part, un l'a poussée sous les roues d'une voiture qui arrivait, l'autre a pris son paquet, puis les deux ont filé.

— Et tu as attendu un mois pour m'informer que ma sœur court un danger peut-être mortel ?

— Je te jure que je n'ai pas fait le rapprochement entre Sophie et toi jusqu'à mon arrivée, ce soir. Aucun de nous ne portait son vrai nom, quand nous travaillions ensemble. Bon sang, je ne savais même pas que tu avais une sœur !

— Et maintenant, tu as décidé de la draguer ? s'exclama Tracker en se maudissant intérieurement.

Car Chance n'avait jamais dit que la vérité. Et lui-même avait consacré tout son temps, et celui de son équipe, à contrôler les hommes avec lesquels sortait Sophie, même épisodiquement. Si elle était sortie avec Chance, il aurait eu une photo de celui qui lui faisait face beaucoup plus tôt, et cela faisait un mois qu'il aurait su de quoi il retournait.

Ce fut en souriant, cette fois, que Chance leva les mains.

— Eh, je ne suis pas son béguin de la soirée, je suis juste le bon copain homo qui passait dans le coin.

— Tu n'es pas homo, fit observer Tracker.

— Ça fait partie de ma couverture. Dire à une femme qu'on est homo reste le meilleur moyen de se rapprocher d'elle si on ne veut pas l'emmener au lit. Ce qui serait un peu compliqué avec une de vos principales suspectes.

L'espace d'un instant, Tracker garda le silence. Il fallait qu'il se reprenne. La colère ne servirait à rien, la peur non plus.

— Sophie n'a rien à voir dans toute cette histoire.

— Je l'ai éliminée de la liste des suspects dès que j'ai appris à la connaître. Il n'y a pas une once de malhonnêteté en elle. Et elle aime trop sa boutique pour risquer de la perdre en s'impliquant dans une histoire pareille, le rassura Chance, avant de prendre un regard dur. Mais quelqu'un, de ce côté, canalise les objets vers leur destinataire.

— Soupçonneriez-vous son assistant, Noah Danforth ? s'enquit Lucas.

— C'est peut-être lui, ou alors un de ses clients réguliers. Elle leur donne l'impression d'être chez eux, à la boutique. Il suffirait d'un mot lui disant qu'ils recherchent un objet précis, et elle veillerait à le leur trouver. Même chose pour Noah.

— Moralité : tout ce que tu sais vraiment, c'est que quiconque arrive à se rapprocher de la tête finit à la morgue, résuma Lucas avant de se tourner vers Tracker. Je veux qu'elle évite ce magasin tant que l'enquête n'est pas terminée.

— Ça ne suffira peut-être pas à la garder en sécurité, intervint très vite Chance. Celui qui est derrière tout cela est une personne très intelligente. On le surnomme « le Maître des Marionnettes », parce qu'il reste en coulisse et tire les ficelles. On l'a repéré, il y a trois mois, quand il a fait venir la première des pièces par le biais d'un petit magasin dans le Connecticut. Le propriétaire est mort dans l'incendie qui a ravagé sa boutique. Si jamais ce type subodore que Sophie sait quelque chose, elle sera quand même en danger de mort. Le seul moyen d'assurer sa sécurité, c'est de découvrir qui se trouve derrière tout cela.

Le pire, songea Tracker en faisant les cent pas dans le bureau, c'était que Chance n'avait pas tort. A l'entendre, le salaud qui tirait les ficelles ne laissait jamais derrière lui aucun détail permettant de retrouver sa trace.

— Je vais annuler mon voyage, déclara Lucas.

— Non, surtout pas, contra Tracker. Si tu le fais, Sophie comprendra que quelque chose ne va pas. Et Mac aussi.

— Tout devrait être terminé d'ici une semaine, précisa Chance. Sophie attend une livraison demain, et la dernière des trois pièces est censée s'y trouver. Ces pièces ont infiniment plus de valeur ensemble que séparément. Nous sommes persuadés que la première a transité par cette boutique du Connecticut. La deuxième a été récupérée par cette femme qui a été écrasée après avoir quitté la boutique de Sophie. Je me suis déjà proposé pour aider ta sœur à déballer la livraison et arranger les objets dans le magasin. L'artisan de ce trafic va réagir au plus vite. Nous n'aurons plus qu'à suivre l'objet contenant la pièce jusqu'à l'acheteur, et nous aurons notre homme.

Par la porte-fenêtre, le regard de Tracker tomba sur Sophie, qui dansait avec John Landry, et il se maudit intérieurement d'être passé à côté de son amitié croissante pour son voisin Carter Mitchell. Y avait-il aussi un truc qu'il avait manqué dans sa relation à John ?

— Qu'en est-il de ce type, ce Landry ? demanda-t-il. Je sais que Sophie l'a rencontré dernièrement en Angleterre.

— Il est au-dessus de tout soupçon. J'ai vérifié moi-même.

— Je serai là, moi aussi, dit alors Tracker à Lucas. Pour l'aider à déballer sa livraison.

— Comment ? Il ne faut rien faire qui lui mette la puce à l'oreille. Le pire, pour elle, serait qu'elle se mette à avoir un comportement bizarre avec Danforth ou la clientèle, le prévint Chance.

— Je ne ferai rien pour l'alerter, promit Tracker.

Lucas hocha la tête.

— Elle n'est pas facile à berner.

— Je trouverai quelque chose. Elle ne se doutera de rien, précisa Tracker avant de se tourner vers Chance. Pour l'instant, je veux que tu me racontes tout de A à Z, en commençant par la liste des suspects.

3.

Trop souvent rejetée dans sa vie, Sophie savait la souffrance qu'il en découlait, et elle avait horreur de rompre. Mais en mentant à John Landry, elle risquait de le blesser plus encore. C'est du moins ce qu'elle s'était raconté en cherchant à l'éviter pendant les deux heures qui avaient suivi son aparté avec Mac. Mais, même en cet instant, alors qu'elle dansait avec lui, elle ne pouvait s'empêcher de reculer le moment.

— Sophie ?

— Hum ?

Il était clair que sentir le regard de Tracker sur sa nuque n'arrangeait rien. Elle ne l'avait pas revu depuis que Mac était venue la chercher, mais la tension qui s'emparait immanquablement d'elle lorsqu'il se trouvait dans les parages était de retour. Il la regardait danser avec John, et elle eut un instant la tentation de lui en donner pour son argent. Mais non, elle ne pouvait pas flirter avec John, ni l'embrasser, et *ensuite* le quitter.

Et puis, il n'y avait qu'une personne qu'elle rêvait d'embrasser, et c'était justement Tracker. Il fallait qu'elle sache si la foudre pouvait tomber deux fois au même endroit. Sans compter que… le simple fait de penser aux joujoux érotiques que lui avait offerts Mac lui donnait chaud partout.

D'abord, concocter un plan pour l'avoir à distance utile. Et il faudrait qu'il soit vraiment très près pour pouvoir utiliser ce ruban noir.

— Sophie ?

— Hum ?

Elle leva les yeux vers la mine maussade de John. Venait-il de lui parler ?

— Sophie, votre corps est ici, il danse avec moi, mais votre esprit est à des milliers de kilomètres.

Non, pas des milliers. Il devait y avoir trente mètres entre elle et la porte-fenêtre d'où Tracker la regardait. Et elle n'était pas honnête envers John.

— Sophie, je voudrais que vous m'accompagniez à mon hôtel, murmura-t-il. Je vous ramènerai demain pour récupérer votre voiture.

Ça y était. L'instant fatidique.

— Je suis désolée, je ne peux pas.

— Alors je vous suivrai. J'ai envie de passer du temps avec vous. Seuls.

— John, dit-elle en lui prenant la main pour l'entraîner vers l'intimité d'un bosquet, non loin. Je suis navrée, mais je ne vais pas passer du temps seule avec vous, du moins comme vous l'entendez. Je…

L'espace d'un éclair, elle crut déceler un éclat de colère dans son regard, mais il fut si vite masqué qu'elle s'était peut-être trompée.

— Loin de moi l'idée de vous presser, dit-il.

— Ce n'est pas cela. Je pense que vous avez été très patient, mais je ne crois pas que le temps me fera changer d'avis. Je suis navrée de vous avoir donné des espérances, car vous êtes un homme bien, et je vous apprécie infiniment en tant qu'ami et collègue de travail.

Elle s'interrompit, sentant soudain un frisson la parcourir. Tracker était tout près, il écoutait tout ce qu'elle disait.

— Eh bien, répondit John avant de s'éclaircir la voix. Je ne vous dirai pas que je suis ravi, mais j'accorde aussi beaucoup de valeur à votre amitié, et je ne veux pas la mettre en péril en vous poussant plus loin que vous ne voulez aller. En revanche, je tiens à vous revoir dans un cadre strictement professionnel. Vous avez aiguisé ma curiosité à propos de cette livraison de demain.

Elle lui sourit.

— Soyez à la boutique de bonne heure et de bonne humeur. Et je vous verrai au déchargement.

— Bien, dit-il en lui pressant les mains. A demain, donc.

Alors qu'il tournait les talons et se dirigeait vers l'avant de la maison, elle fit un pas vers lui et voulut dire quelque chose.

— A votre place, je n'en ferais rien, prononça alors une voix grave, tout près d'elle. Si près qu'elle sursauta. Une cassure nette est toujours préférable.

Elle pivota à temps pour voir Tracker émerger de l'ombre des arbres.

— C'est impoli d'écouter aux portes.

Il se rapprocha d'elle au point qu'elle dut lutter pour ne pas reculer, tant sa proximité l'électrisait.

— Pour avoir un entretien privé, mieux vaut ne pas l'avoir dans un jardin, rétorqua-t-il. De plus, quand on rompt avec un homme, il vaut mieux avoir quelqu'un à portée de main. Ils y réfléchissent toujours à deux fois avant de devenir violents.

— John Landry est quelqu'un de bien, il ne ferait jamais preuve de violence, se rebiffa-t-elle, songeant à la colère qu'elle avait décelée dans son regard.

— Croyez-moi sur parole, il était furax, répondit Tracker en lui souriant. Vous avez de la chance qu'il soit un mec *bien*.

Sophie se rembrunit.

— Mais la gentillesse n'a pas apporté à Landry ce qu'il voulait, poursuivit-il.

— Et que lui auriez-vous suggéré, en ce cas ?

Il prit une mine grave et planta ses yeux dans les siens.

— S'il vous veut, il n'a qu'à tendre la main et vous prendre.

Ces mots, l'expression de son regard, tout lui donna des frissons. Elle leva le menton.

— Et *vous,* que voulez-vous ?

L'espace d'un instant, il ne dit rien. Puis il sourit lentement et elle crut que ses genoux se dérobaient.

— Moi ? Je compte juste faire mon travail et vous suivre jusque chez vous.

La colère s'empara d'elle.

— Je n'ai pas besoin d'escorte.

— Ecoutez, princesse, il est tard. Vos deux chevaliers servants sont rentrés par leurs propres moyens, et Lucas ne veut pas que vous rentriez seule, dit-il avant de marquer une légère pause. Et vous perdriez votre temps à essayer de me semer. Ne comptez pas rejouer à ça et gagner encore.

Même si cela lui coûta, elle ne dit rien. Cinq années d'expérience professionnelle lui avaient appris que la maîtrise de soi était primordiale si elle voulait imposer son point de vue à un client. Et son point de vue, jusqu'à ce qu'il l'enquiquine en lui rappelant son rôle d'ange gardien, était d'avoir Tracker à portée de main. S'il la suivait jusque chez elle, il n'y aurait plus qu'à le faire entrer…

— Du calme, Tracker. Je n'ai pas l'intention de filer, le jeu ne m'amuse plus. Je préférerais de loin poursuivre celui que nous avons commencé en dansant.

Les sourcils froncés, méfiant, il ne répondit rien.

— Pourquoi ne pas laisser le sort décider ? suggéra-t-elle en sortant la pièce de Mac de sa poche. Pile, vous me suivez jusqu'à la maison et vous vous fondez ensuite dans vos ombres chéries.

Face, vous rentrez avec moi et nous continuons le jeu des vingt questions. Partant ?

Il l'étudia un instant.

— Allez-y. Lancez-la.

Elle la lança, la rattrapa et la plaqua sur le dos de sa main.

— Face. Et comme c'est mon tour de vous poser une question, je vais vous la dire afin que vous ayez le temps d'y réfléchir. Je veux savoir quel est votre véritable nom.

Puis elle tourna les talons, remit la pièce dans sa poche et s'en fut vers sa voiture. Qu'il rumine un peu en la suivant.

Bon sang, à quel jeu jouait-elle ? La question le taraudait depuis que la princesse avait lancé la pièce. Une fois sur la rocade, il leva le pied et laissa lentement croître la distance entre leurs deux voitures. La dernière chose à faire était de la bousculer, or elle l'avait déjà surpris trois fois ce soir. D'abord, en l'embrassant, puis en larguant Landry et, maintenant, elle l'invitait chez elle pour continuer le jeu des questions. Il n'aimait pas trop les surprises tant que la princesse était concernée. Les enjeux étaient bien trop élevés.

Et comme il ignorait à quelle sorte de jeu elle jouait, il allait faire en sorte de mettre toutes les chances de son côté.

Elle ralentit et mit son clignotant. Il fit de même.

Jamais il n'aurait dû l'embrasser, ce soir. Il avait été incapable de lui résister. Et ce baiser n'avait fait que confirmer le pire de ses soupçons : *un seul* ne serait pas suffisant avec Sophie Wainright. Tout ce qu'il avait pu imaginer dans ses fantasmes était loin de la réalité. Au premier contact, son sang-froid l'avait abandonné, et l'attraction entre eux était si puissante qu'avant d'avoir trouvé la force de la repousser, il avait perdu quelque chose de lui-même.

Il la voulait, et il commençait à comprendre qu'il allait l'avoir. Il se pourrait bien que le besoin qu'il avait d'elle ne lui laisse guère le choix, et ce fut une pensée qui lui fit simultanément froid dans le dos et palpiter le cœur. Mais pour l'instant, ce soir et les jours à venir, il avait un travail à accomplir. Et il s'en acquitterait bien mieux en gardant ses distances.

D'un coup d'accélérateur, il réduisit l'écart entre les voitures. L'heure du plan A avait sonné. Débouchant la flasque qu'il venait de sortir de sa poche, il but une bonne lampée. D'ici cinq minutes, le liquide aurait fait son effet sur son estomac.

Il avait prévu de passer la nuit chez Sophie, mais *pas* dans son lit. Ce soir, il n'avait pas l'intention de prendre de risques. Il n'avait pas étroitement surveillé la princesse pendant deux ans sans comprendre où étaient ses faiblesses, et elle ne savait pas résister à un chien errant.

A la première crampe d'estomac, il réduisit encore la distance entre les voitures et fit partir la sienne vers le bas-côté. Puis il appuya sur le frein en veillant à ce que les roues fassent un maximum de bruit en dérapant sur le gravier avant de s'immobiliser. Alors, il sortit en titubant et vomit sur le talus.

S'il connaissait bien la princesse, faire simplement semblant d'être malade ne suffirait pas. Il allait lui falloir des preuves, et il y en avait. Il avait appris les vertus de l'ipéca de l'une de ses mères adoptives, médecin. Et il en avait toujours une fiole dans sa « trousse à outils ».

Appuyé à la clôture, plus faible qu'il ne l'avait prévu, il regarda Sophie enclencher la marche arrière, suivre l'accotement et s'arrêter dans un crissement de pneus à quelques mètres de lui. Elle sortit de la voiture et se précipita vers lui avec une telle hâte que le simple fait de la voir s'agiter provoqua une autre nausée. Il se pressa une main contre l'estomac.

— Que s'est-il passé ? Vous allez bien ?

L'inquiétude dans ses yeux combla toutes ses attentes. Le plan A allait fonctionner comme sur des roulettes.

— Ce doit être un truc que j'ai mangé.

Elle regarda le talus derrière lui, et il s'efforça de lui bloquer la vue, une fois certain qu'elle avait aperçu la preuve.

— Vous êtes soûl ? demanda-t-elle, soupçonneuse.

Un autre haut-le-cœur le prit quand il secoua la tête. Celui-ci le fit se plier en deux et il ne fut pas loin d'asperger ses sandales. Il avait peut-être un peu forcé la dose.

— Allons, venez, je vais conduire. Vous n'êtes plus en état de le faire. Vous n'aurez qu'à faire prendre votre voiture par un de vos hommes.

— Je n'ai pas trop bu. C'était la nourriture, protesta-t-il alors qu'elle le poussait sur le siège passager.

Sans dire un mot, elle referma la portière et s'en fut reprendre sa place au volant. Le plan A avait peut-être quelques petits inconvénients, mais il se dit qu'il était déjà à mi-parcours quand elle démarra.

— Désolé, vraiment. Je crois que je vais avoir besoin de dormir, dit-il alors qu'ils prenaient de la vitesse.

Cela faisait plus de vingt ans que sa mère lui avait administré le médicament, et il ne se souvenait pas avoir été aussi somnolent par la suite. Pas plus qu'il ne se souvenait avoir eu la tête aussi lourde. Il s'efforça de s'éclaircir les idées.

— T. J.

— Pardon ?

— Mon nom est T. J. A mon tour de vous poser une question.

— Jamais de la vie, s'insurgea Sophie. Des initiales, ça ne compte pas. Je veux votre vrai nom, sinon vous aurez un gage. Mais d'abord, il faut vous remettre sur pied.

Faire semblant de s'endormir ne serait pas plus mal, décida-t-il. Cela devrait suffire pour que la princesse le ramène chez elle pour la nuit.

*
* *

Tracker se rendit compte qu'on lui secouait l'épaule.

— Réveillez-vous.

— Hein ? Où sommes-nous ? balbutia-t-il en ouvrant un œil et en le refermant, blessé par la lumière crue.

— A l'hôpital.

Soudain bien réveillé, il put constater qu'elle avait effectivement arrêté la voiture près de l'entrée des urgences, sous les néons.

— Je ne vais pas là-dedans.

— Peur des hôpitaux, peut-être ?

— Non. Je n'en ai pas besoin.

— Du calme, dit-elle en sortant de la voiture pour en faire le tour. Ne vous préoccupez de rien.

Bon sang, il avait sous-estimé son côté mère poule, qui le plaçait entre le marteau et l'enclume. S'il lui avouait qu'il n'était pas vraiment malade, fini le plan A. Alors qu'il cherchait une échappatoire, elle ouvrit grand sa portière.

— Je vous ai dit que tout va bien, bougonna-t-il.

— Allons, venez. Je vous tiendrai la main pendant qu'ils vous examineront, promit-elle en l'aidant à sortir.

Nom de nom ! A l'heure où il sortirait d'ici, il vaudrait mieux qu'il ait trouvé un plan B.

— Rapport, dit l'homme en pressant la touche d'amplification, avant de se pencher sur l'échiquier pour déplacer un de ses cavaliers.

— Tout se déroule comme prévu.

— Pas tout à fait, rétorqua l'homme.

Il y eut un silence. Il le laissa s'étirer un instant.

— Le plan était que vous deveniez son amant, afin d'être intime avec elle quand arriverait le chargement. Elle a quitté la réception avec un autre homme.

— Je serai à la boutique quand la pièce arrivera, demain.

— Mais vous ne serez pas seul. Il est chez elle en ce moment, peut-être même dans son lit, alors que c'était vous qui étiez censé y être.

— Je vais me débrouiller.

— Vous connaissez la sentence en cas d'échec.

Après avoir replacé le combiné, l'homme se cala dans son fauteuil et observa son vis-à-vis.

— Je peux m'en débarrasser. Un seul mot de vous, et il ne vous encombrera plus.

— Quelle nature impitoyable, l'admonesta l'homme. Patience, très cher. Cette marionnette-là peut encore nous être utile. De plus, la déplacer maintenant pourrait attirer un peu trop l'attention sur le magasin de Mme Wainright, et nous ne sommes pas encore en possession de la pièce.

L'homme qu'on appelait le Maître des Marionnettes avait d'autres pantins en place. N'importe lequel d'entre eux pourrait récupérer la pièce, demain, et son vis-à-vis lui servirait plus tard. Le succès à long terme reposait sur la science du jeu et de ses règles.

Il allait attendre, pour le moment. La pièce serait là demain, et il aurait enfin les trois.

— A vous de jouer, dit-il en souriant et en désignant l'échiquier.

4.

Tracker se réveilla avec un chat tigré plutôt imposant endormi sur le torse. Le temps de déplacer l'animal et de le poser par terre, il avait l'esprit clair et envahi par les souvenirs de la veille.

L'escapade aux urgences s'était mieux passée qu'il ne l'avait craint. Au bout d'une attente de deux heures, ils avaient été introduits dans une cabine d'examen, où un médecin manifestement épuisé avait diagnostiqué une légère intoxication alimentaire. Comme il avait totalement récupéré à ce moment-là, il avait même incité, à force de charme, une des infirmières à recommander à Sophie de le garder à l'œil pendant encore quarante-huit heures.

Moralité : le plan avait fonctionné à merveille. Il était exactement là où il avait décidé d'être, en convalescence dans l'appartement de la princesse.

Il balança ses pieds par terre, s'assit, et contempla le petit living-room qui n'avait pas manqué de le surprendre. Sophie avait grandi dans un hôtel particulier, et elle avait choisi de vivre dans un lieu à peine plus grand qu'un placard. D'accord, c'était pratique pour elle de vivre à côté de la boutique, mais ce n'était définitivement pas un endroit pour une princesse.

Le plus incroyable, c'était que la pièce n'avait même pas l'air exguë. Elle était… confortable. Son parquet couleur miel n'était encombré d'aucun tapis. Et à l'exception du canapé rembourré sur lequel il avait dormi et de la statuette à tête d'angelot qui montait la garde à la porte, elle était meublée de façon plutôt monacale. Cependant, l'explosion de couleurs des toiles accrochées au mur conférait une ambiance chaleureuse à l'endroit. Celle qui était sur le mur d'en face attira plus particulièrement son attention. Des pensées de tous les rouges possibles et imaginables recouvraient la toile. Elles évoquaient pour lui la passion, ardente, insouciante, et il songea aussitôt à Sophie.

Tout en arrachant ses yeux de la peinture, il les tourna vers le mur derrière lui et découvrit une collection de chevaux. Il ne les avait pas remarqués, la veille. Il devait bien y en avoir une cinquantaine sur les étagères, en terre cuite, bois ou marbre.

Alors comme ça, la princesse aimait les chevaux. Intéressant.

— *Mmmrph.*

En baissant les yeux, il découvrit que le chat avait réintégré le canapé.

— C'est toi, Chester, pas vrai ?

Le chat cligna de l'œil.

Sophie les avait présentés en arrivant, puis elle lui avait fait faire un rapide tour du propriétaire et lui avait montré où se trouvait la salle de bains, qui faisait en gros la moitié du living-room. Elle donnait dans le salon et dans la chambre.

Elle ne lui avait pas fait voir sa chambre. Si elle l'avait fait, il serait peut-être bien dans son lit en ce moment. Pas question de se raconter d'histoires, s'en tenir au plan initial allait relever du tour de force. Surtout que la princesse avait peut-être ses propres projets. Il allait devoir rester vigilant.

Le simple fait de penser à elle le fit sourire. Il ne s'était jamais senti aussi vivant que l'an dernier, quand il lui avait couru après dans tout le pays. N'avait-il pas attendu tout ce temps pour qu'elle le provoque encore une fois ?

— *Mmmrph.*

— Tu as faim ? demanda-t-il au chat.

En réponse, minet grimpa sur ses genoux.

Il le prit dans ses bras, gagna la cuisine, repéra la boîte de croquettes et en emplit un des bols de Chester, avant de remplir l'autre d'eau fraîche. Le chat ne se le fit pas dire deux fois.

Satisfaire sa propre faim allait se révéler plus problématique. Oh, il y avait tout le nécessaire dans le placard et le réfrigérateur. Il avait trouvé des œufs et du beurre, du lard et du café, et il aurait pu préparer un petit déjeuner au lit pour la princesse s'il n'y avait pas eu deux petits détails gênants.

Un, il était censé se remettre d'une intoxication alimentaire. Deux, pénétrer sous quelque prétexte que ce soit dans la chambre de Sophie risquait de provoquer une toute autre sorte de fringale.

Fondamentale était le qualificatif qui lui paraissait le plus approprié. Car il commençait à penser que posséder la princesse lui devenait aussi indispensable que respirer. Depuis ce premier jour, dans le bureau de Lucas, quand il l'avait tenue dans ses bras, il n'avait pas été capable de se libérer de l'emprise qu'elle avait sur lui.

Au milieu de la nuit dernière, elle était venue voir s'il allait bien, et il avait dû faire appel à tout son sang-froid pour faire semblant de dormir. Ensuite, il avait passé le reste de la nuit à imaginer ce que ça aurait été, de l'avoir sous lui dans ce canapé.

Il avait un travail à faire, se morigéna-t-il. Et il avait besoin d'avoir les idées claires pour le faire.

Quand Chester sauta sur le comptoir, il le gratta sous le menton.

— Je ne vais peut-être pas réussir à préparer un petit déjeuner, mais faire du café me paraît une bonne idée. Ensuite, je prendrai une bonne douche froide. Qu'en penses-tu, le chat ?

Ce dernier poussa un grognement.

Café. L'arôme tira Sophie de son sommeil. Ce devait être un rêve, se dit-elle en s'asseyant dans son lit et en repoussant ses cheveux. Elle n'avait jamais assez de sens pratique pour préparer la cafetière et la programmer avant d'aller au lit.

Une deuxième inspiration confirma qu'elle ne rêvait pas. Et la mémoire lui revint. Tracker. Tracker McGuire avait passé la nuit chez elle. C'était lui qui avait dû faire le café.

Bon, d'accord, il n'était pas encore dans son lit, mais il y avait du progrès. Elle avait presque embrassé l'infirmière qui lui avait fortement recommandé de garder Tracker sous surveillance un jour, si possible, et de préférence deux. De surcroît, les deux heures d'attente lui avaient permis d'analyser la situation et de tirer des plans sur la comète.

Elle fit bouffer les oreillers derrière elle et pressa une main sur son ventre. Allons, pas besoin d'être aussi nerveuse. Après tout, n'avait-elle pas la pièce ? Un rapide coup d'œil à la table de nuit confirma qu'elle était bien là où elle l'avait posée la veille, et le petit sac de Mac attendait près du lit.

Elle s'en empara et en sortit le ruban noir. Il allait lui falloir un fichu cran pour utiliser un machin pareil. A dire vrai, son assurance avec les hommes était totalement simulée. Les amants qu'elle avait eus se comptaient sur les doigts d'une seule main, et la plupart manquaient totalement d'imagination. A moins que ce soit venu d'elle.

Bon, avec l'aide des joujoux de Mac, elle était sur le point de devenir une nouvelle femme.

En entendant la douche se mettre en marche, elle sentit la panique s'emparer d'elle. Elle ferait peut-être mieux de se dépêcher de revoir son plan, car elle risquait de devoir le mettre en œuvre très bientôt. Tout en glissant au bas du lit, elle attrapa sa robe de chambre et mit la pièce dans la poche.

La clé pour une bonne affaire, c'était d'offrir à l'autre exactement ce qu'il voulait. Tracker et elle se voulaient l'un l'autre, aussi allait-elle lui proposer une simple aventure, sans engagement. Que pouvait-il y avoir de plus simple, de plus fondamental que cela ?

Oui, mais elle allait devoir faire le premier pas, songea-t-elle en arpentant sa chambre de long en large. Car malgré le baiser, il n'avait jamais fait mine de vouloir la toucher depuis qu'ils étaient arrivés chez elle.

A la boutique, l'effet de surprise était essentiel. Si elle parvenait à le prendre au dépourvu, elle aurait l'avantage.

Elle soulevait le sac de Mac quand la douche s'arrêta, et l'image de Tracker sortant de la cabine, ruisselant, s'imposa à son esprit. Le feu aux joues et le sang en ébullition, elle imagina sans peine le long corps musclé, la peau luisante. Le sac lui échappa des mains, et elle se dirigea vers la porte de la salle de bains. Effet de surprise.

La main refermée sur la poignée, elle la tourna. Verrouillée ! Non. Oh non ! Elle cogna à la porte.

— Tracker ?

Le verrou cliqueta, la porte s'ouvrit et elle le vit. Son odeur l'assaillit, sa chaleur l'enveloppa. Toute idée d'effet de surprise déserta son cerveau, déjà passé au stade sensoriel. Elle était si consciente de sa présence, de lui, qu'elle en fut paralysée. Il avait la peau lisse, humide, à peine couverte par la serviette. Un éclair de désir, violent, irrépressible, s'empara alors d'elle. Il fallait qu'elle le touche, qu'elle fasse courir ses mains sur cette peau.

Et elle le ferait, aussitôt qu'elle aurait retrouvé l'usage de ses bras.

L'espace d'un instant, Tracker demeura parfaitement immobile, paralysé par un afflux d'émotions. Quand elle l'avait appelé, il avait aussitôt été pris de panique, et il ne lui avait pas fallu plus de trois secondes pour ouvrir la porte en grand. Il n'avait pas vérifié sa chambre, la veille. N'importe qui aurait pu s'y introduire.

Sans jamais la lâcher des yeux, il enregistra la commode haute, le miroir en pied ovale, le lit. La porte entrouverte du placard.

Elle était seule dans la pièce. En sécurité.

Il eut à peu près une seconde pour profiter de son soulagement avant d'être traversé par un éclair de désir.

En la voyant drapée dans cette robe de chambre de soie et dentelle, on ne pouvait que se demander si elle portait quelque chose en dessous. L'idée de la toucher et de le découvrir lui fit immédiatement bouillir le sang.

Il lui fallut faire appel à toutes ses facultés pour ne pas la renverser sur le lit. Car il pourrait la posséder aussi vite que cela, et mettre enfin un terme au désir qui lui rongeait les entrailles.

— Est-ce que vous allez bien ? lui demanda-t-il.

— Je croyais que vous étiez parti.

C'était ce qu'il devrait faire, d'ailleurs. Partir. Reculer dans la salle de bains et refermer la porte au verrou. Elle allait bien, ce n'était qu'une fausse alerte. Et s'il ne reprenait pas le contrôle de la situation, il ne serait jamais prêt en cas d'alerte bien réelle. Il s'ordonna donc de réintégrer illico la salle de bains. Mais il ne bougea pas. Et il n'allait pas le faire. Ses pieds avaient cessé d'obéir à son cerveau.

— Je ne vais nulle part.

— Bien, dit-elle, marquant soudain un temps d'hésitation. Je ne veux pas que vous partiez. Je voudrais parler.

Parler ? Cette femme allait le tuer.

Parler ? Mais que disait-elle ? Elle qui rêvait de lui sauter dessus, elle n'arrivait plus à faire obéir son corps. Déjà qu'elle n'avait plus la moindre idée du petit discours qu'elle avait pourtant répété avant de faire irruption dans la salle de bains. Le désir sauvage qu'elle lisait dans ses yeux lui avait fait fondre le cerveau. Serait-elle, d'ailleurs, jamais capable de recouvrer l'usage de la parole ?

On pouvait quand même essayer.

— Je veux faire l'amour avec vous.

Puis elle faillit se retourner pour savoir qui avait dit cela, et elle l'aurait fait si elle avait pu détacher ses yeux de Tracker. La bonne nouvelle, c'était qu'il avait le regard encore assez incandescent pour lui brûler la peau. La mauvaise, c'était qu'il ne faisait pas un geste.

Tu peux y arriver, Sophie. Tu as servi de modèle à Mac.

— Tout de suite ne serait pas pour me déplaire. Vous êtes partant ?

Il y eut un silence durant lequel il ne la lâcha pas des yeux. Elle le vit contracter la mâchoire, serrer les dents.

— Ce n'est pas que je ne veuille pas.

Mais… Le mot risquait à tout moment d'ériger un mur infranchissable entre eux. La panique s'emparait d'elle quand sa main se referma sur la pièce, dans sa poche. Dieu merci, les doigts fonctionnaient encore. Hésitante, elle fit un pas vers lui. Elle pouvait bouger. Donc, elle pouvait le faire.

— Il y a plusieurs possibilités : soit on entame un débat à propos des arguments pour et contre, soit on coupe au plus court et on le fait à pile ou face.

Elle sortit la pièce et la jeta en l'air.

— Face, on fait l'amour, pile, on…

Tracker regarda la pièce s'envoler. Le côté sur lequel elle retomberait n'avait aucune importance puisqu'ils allaient faire l'amour. Il avait définitivement perdu le combat contre lui-même au moment où elle avait dit : « Je veux faire l'amour avec vous. »

C'était une situation qu'il n'avait pas prévue, contre laquelle il n'avait envisagé aucune défense. Jamais il n'aurait cru que c'était la seule chose qu'il avait rêvé de l'entendre dire. Depuis qu'elle l'avait fait, il n'avait plus qu'une idée en tête : l'allonger sur ce lit, sous lui, et il ignorait combien de temps il pourrait encore attendre.

— Face, dit-elle en baissant les yeux vers la pièce. Bien, c'est décidé.

Alors, la peur le saisit. Il allait la toucher dans moins d'une seconde, et il fallait absolument qu'il conserve son sang-froid. Il paierait le prix pour lui avoir fait l'amour, mais il était hors de question qu'elle ait aussi à payer. Son besoin de la posséder vite était tellement pressant, pourtant il se refusait à lui faire mal.

— A moins que vous ne préfériez… discuter ? Etablir d'abord quelques règles de base ? bafouilla-t-elle, remettant la pièce dans sa poche.

Pour la première fois, il remarqua le tremblement de ses mains.

Les nerfs. Il l'avait toujours considérée comme la princesse, si sûre d'elle et si courageuse. Le fait qu'elle soit nerveuse à cause de lui l'émerveilla au plus haut point. Et il ne se rendit compte qu'il avait franchi la distance qui les séparait encore qu'en la sentant soudain frissonner lorsqu'il posa les mains sur ses épaules.

— Tout doux, murmura-t-il en lui caressant les bras de haut en bas, un peu comme lorsqu'il apaisait l'un de ses chevaux.

Puis il prit sa main et en embrassa la paume.

— On discutera plus tard. Pour l'instant, je vais te faire l'amour.

Elle porta les mains à la ceinture de son peignoir.

— Non, dit-il, les immobilisant. Laisse-moi faire.

Il l'avait fait mille fois dans ses fantasmes, mais jamais il n'avait imaginé le frisson qui parcourut la peau de Sophie, ni son hoquet quand il repoussa le vêtement de ses épaules. Pas plus que son imagination n'avait décrit la douceur soyeuse de sa peau. Il laissa échapper le souffle qu'il avait retenu.

— Tu ne portes rien. Je m'étais posé la question.

Un frein, vite, à son besoin de la toucher, de la posséder. Quand il voulut dénouer la serviette qu'il avait autour des reins, elle posa ses mains sur les siennes.

— Non. Laisse-moi faire.

Cette fois, ce fut *sa* peau qui fut parcourue d'un frisson quand la serviette tomba au sol et qu'elle fit courir ses doigts sur la longueur de son pénis érigé.

— Je te veux.

Qui avait dit cela ? Sophie n'en fut pas certaine. La seule réalité tangible à ses yeux était qu'il l'embrassait de nouveau. Enfin, presque. Il lui butinait les lèvres, il les goûtait, comme si elle était un plat qu'il voulait savourer peu à peu. De sa langue, il suivit le contour de sa lèvre inférieure, puis il effleura le coin de sa bouche. Dans le recoin de son esprit encore capable de réfléchir, elle se demanda comment un baiser aussi léger pouvait l'affoler ainsi, lui donner l'envie qu'il ne cesse jamais.

Elle posa les mains sur ses épaules, les fit courir sur les muscles déliés et les referma sur sa nuque. Puis elle se haussa sur la pointe des pieds et tenta de se coller à lui.

Alors il l'embrassa vraiment, plongeant sa langue en elle. Cet homme avait un goût d'interdit, celui du miel sauvage qu'elle avait un jour trouvé dans une ruche, et dont elle avait eu un mal fou à se rassasier. Sa saveur enivrante lui avait presque fait oublier les piqûres dont elle avait souffert par la suite.

Il fit passer ses mains de ses épaules à sa taille, mais au lieu de l'attirer plus près de lui, elles l'écartèrent.

— Tout doux, princesse.

Elle leva les yeux vers lui et tenta de déchiffrer l'expression de son regard. Le bleu-vert de ses iris avait pris la teinte de la mer déchaînée. Ce n'était pas du doux qu'il voulait, et elle non plus, d'ailleurs. Mais le baiser l'avait affaiblie, et elle ne paraissait plus capable de… Alors, il referma les doigts sur sa taille et la fit pivoter afin qu'elle les vît tous deux dans le miroir ovale, près du lit. La femme qu'elle y vit reflétée était complètement encadrée par l'homme. Un homme à l'aspect dangereux, devant lequel elle paraissait pâle, presque fragile. Un tel contraste fit remonter un frisson le long de sa colonne vertébrale. Pourrait-elle jamais regarder encore dans ce miroir sans y voir cette image ?

— Je vais te caresser, murmura-t-il d'une voix rauque qui lui fit l'effet d'un papier de verre sur sa peau, l'embrasant de la même manière.

Il posa une main à plat sur son ventre et la fit reculer jusqu'à ce qu'elle ait les fesses bien calées contre ses cuisses, qu'elle perçoive les pulsations de son sexe chaud et dur contre ses reins.

— Regarde, laisse-toi aller.

Elle ne l'entendait plus, tant son cœur cognait dans sa poitrine. Et ses jambes… étaient-elles vraiment en train de fondre ?

Un gémissement lui échappa quand son autre main vint se refermer sur un sein, et elle laissa retomber sa tête contre son torse. S'il ne la tenait pas, elle allait glisser, tomber sur le sol. Puis une pensée atroce la frappa de plein fouet. Elle plissa les yeux et examina le reflet dans le miroir.

— Je ne suis pas en train de rêver ? Dis-moi que je ne rêve pas.

— Tu ne rêves pas, princesse. Et moi non plus. Dis-moi ce que tu veux, princesse. Ceci ?

Il déplaça sa main sur son ventre, vers le bas, et elle se mit à trembler.

— Plus bas ?

— Oui.

Quand ses doigts frôlèrent ses boucles, le triangle entre ses cuisses, elle ne put s'empêcher de gémir :

— Je veux…

Elle essaya bien de s'arquer contre ses doigts, mais il la tenait prisonnière, pressée contre lui. Il se pencha et effleura sa gorge d'une pluie de baisers.

— Regarde-moi.

Elle croisa son regard dans le miroir.

— Je veux voir ce que tu éprouves, à quel point tu me veux.

Puis il glissa un doigt en elle.

— Encore ?

— S'il te plaît.

Il glissa deux doigts, cette fois.

L'orgasme commença si brutalement, il la traversa avec une telle violence qu'elle cria.

Tracker l'allongea sur le lit avant de s'étendre près d'elle. Sophie avait encore le corps parcouru de frissons. Le sien vibrait du besoin de la prendre. Maintenant.

A force de volonté, il mit cependant un frein à son désir. Qu'importe le nombre de fois où il s'était imaginé en train de la caresser, de lui donner du plaisir, jamais il ne s'était approché de la réalité. Jamais il n'aurait imaginé l'effet que pourrait lui faire le fait de *voir* le plaisir qu'il lui donnait.

Tant qu'elle était encore sous l'effet de ce plaisir, il allait l'aimer encore, et il garderait une allure lente. Il leva la main, la posa délicatement sur son flanc, sur sa hanche, sa cuisse et entreprit de dessiner des arabesques.

— Non, murmura-t-elle en ouvrant les yeux. Arrête.

— Arrêter ? s'étonna-t-il, immobilisant sa main. Je t'ai fait mal ?

— Bien sûr que non.

— Est-ce que je fais quelque chose de travers ?

— Oh non. Ce n'était pas cela que je voulais dire, affirma-t-elle, se débarrassant gentiment de la main qui reposait sur sa cuisse.

— Tu veux que j'arrête ?

— Bonté divine, non ! Tu es fou ? Personne ne m'a jamais caressée comme tu viens de le faire. Mais tu n'as pas… je veux dire, je n'ai pas…, bafouilla-t-elle en se mettant à genoux.

Quand il voulut poser une main sur sa poitrine, elle saisit son poignet.

— Non, ne fais pas ça. C'est à mon tour de te faire l'amour. Laisse-moi juste une seconde, parce que je crois bien avoir des synapses en court-circuit.

Elle en était même certaine, mais au moins n'était-elle pas paralysée. Elle pressa une main contre son épaule et poussa, roula, tortilla jusqu'à ce qu'il fût allongé sous elle. Elle n'avait peut-être pas l'expérience qu'elle aurait voulue, mais elle avait lu *Cosmo*. Elle connaissait donc l'avantage d'être au-dessus.

— Princesse, laisse-moi…

Quand il agrippa ses épaules, elle se mit à califourchon sur lui.

— Laisse-*moi* faire, l'interrompit-elle en le regardant dans les yeux. On ne t'a jamais dit que « chacun son tour » existe ?

— Et si je te disais… que je n'ai pas encore fini mon tour, protesta-t-il après l'avoir étudiée un instant.

— Ça compterait.

Elle se pencha, effleura ses lèvres des siennes et se redressa. Si jamais elle le laissait intensifier le baiser, elle serait perdue, encore une fois. Et elle avait d'abord un truc à faire.

— Comment pourrais-je ne pas considérer cet aspect des choses ? reprit-elle. Mais je veux juste que tu fasses une petite pause. Je serai plus en forme pour le deuxième round si tu me laisses un peu de temps.

— Qu'as-tu en tête ?

— Tu ne me fais pas confiance, n'est-ce pas ?

Il avait dans les yeux un mélange de désir intense et de méfiance, et elle se sentit forte, confiante.

— Je sais quand tu as une idée derrière la tête, princesse.

— Moi ? Mais non.

Enfin si, elle en avait bien une petite, mais l'inexpérience l'obligerait surtout à improviser. Lentement, elle fit courir un doigt de la gorge de Tracker jusqu'à son torse, puis plus bas, et son sursaut l'émerveilla.

— Je serais peut-être plus digne de confiance si je savais ton vrai nom. Vas-tu me le dire, ou préfères-tu un gage ?

— Quel gage ?

— Je veux juste te caresser, dit-elle sans répondre. Tu m'as caressée, il est juste que ce soit mon tour. Et puis tu pourras aussi participer, mais seulement quand je le dirai. Mais d'abord, il faut que tu tiennes les montants du lit.

Elle lui prit les mains et les leva au-dessus de sa tête. Il les retourna et mêla ses doigts aux siens.

— Avant d'aller plus loin, il faudrait songer protection.

— Je prends la pilule, répondit-elle, lui effleurant la bouche des lèvres, incroyablement touchée de cette attention.

En réponse, il lâcha ses mains et enroula les doigts autour des montants du lit.

Le jeu avait commencé, songea Sophie, presque euphorique. Elle allait commencer bientôt, mais d'abord il lui fallait le goûter encore une fois. Penchée en avant, elle posa sa bouche contre la sienne et y infiltra sa langue. Une fois, deux fois, puis elle lui mordilla la lèvre inférieure et l'aspira lentement. Le petit bruit de gorge qu'il émit parut se répercuter directement en elle.

Elle avait prévu de s'interrompre le temps de lui demander ce qu'il aimait, mais déjà sa bouche longeait sa mâchoire en direction de son oreille. Il avait un goût si masculin, si différent. Si érotique. Alors qu'elle déplaçait ses lèvres sur sa gorge et son torse, elle se dit qu'elle n'arriverait jamais à s'en rassasier. Et quand elle ne put descendre plus loin, elle se haussa au-dessus de lui et se rassit sur ses hanches.

Soudain, elle perçut la dureté de son érection sous elle et, d'instinct, elle commença à onduler sur ce sexe palpitant. Pour elle.

Il avait les yeux mi-clos, mais elle percevait leur brûlure sur sa peau, sur ses seins. Il avait le souffle court, les articulations blanchies autour des montants du lit.

— Mon tour n'est pas terminé.

— Alors caresse-toi, ordonna-t-il d'une voix râpeuse. Caresse-toi les seins.

Elle hésita juste un peu, puis elle posa les mains sur sa poitrine et les laissa descendre vers sa taille. Il se mit à haleter, mais était-ce lui, ou elle ? Elle n'en savait plus rien.

— Plus bas. Descends encore.

Mais ses mains descendaient déjà toutes seules, elles atteignaient son sexe. Et, soudain, elle comprit qu'elle n'était plus maîtresse du jeu.

— Caresse-toi pour moi, princesse.

Elle le fit, puis :

— C'est ton tour, maintenant. Je veux que tu me fasses l'amour, Tracker.

Par la suite, Tracker se souvint qu'il avait alors senti quelque chose claquer en lui. L'attrapant par la taille, il l'avait fait rouler sous lui et avait aussitôt plongé en elle. Oh, c'était si bon qu'il avait voulu aller lentement, savourer, mais cela avait été impossible. Se retirant, il l'avait de nouveau pénétrée. Plus fort. Encore, et encore.

Elle referma bras et jambes sur lui et accorda son rythme au sien, comme s'ils ne faisaient plus qu'un. Alors que les derniers vestiges de sa volonté l'abandonnaient, il trouva encore la force de dire :

— Jouis avec moi, Sophie. Maintenant.

Et elle le fit, alors qu'il les emmenait tous deux de plus en plus haut, de plus en plus vite. Il eut à peine le temps de la sentir commencer à se convulser qu'un orgasme éblouissant l'emportait sur les cimes avec elle.

Il reprit peu à peu pied dans la réalité, le souffle court, incapable du moindre mouvement. Alors, la culpabilité le transperça, et il releva la tête pour la regarder, certain qu'il lui avait fait mal. C'était inévitable, puisqu'il n'arrivait pas à se souvenir d'avoir un jour possédé aussi brutalement une femme. Cela devait tenir à la manière dont elle lui avait dit de lui faire l'amour.

Il prit son visage entre ses mains.

— Sophie, est-ce que ça va ?

Elle ouvrit alors les yeux, mais ce ne fut pas de la douleur qu'il y lut. Elle incurva les lèvres.

— Merveilleusement bien, à part un autre contingent de synapses grillés. Et toi ?

— Je ne t'ai pas fait mal ?

— Mais non. Comment aurais-tu pu me faire mal ?

Un peu rassuré, il se laissa glisser près d'elle. A sa grande surprise, elle roula aussitôt sur le côté et se pelotonna contre lui, la joue sur sa poitrine. Une telle douceur l'émut, et repoussa définitivement au loin les derniers vestiges de sa peur et de sa culpabilité. Il resserra son bras autour d'elle. Il fallait qu'il réfléchisse. Il avait eu raison, la veille : jamais il n'aurait dû ouvrir la porte de sa chambre. Un seul regard sur elle lui avait fait exploser son plan de protection à la figure.

Mais bon, ce n'était pas comme s'il n'avait jamais dû changer de tactique auparavant. Adieu le malade victime d'intoxication alimentaire, bonjour l'amant. Il allait avoir du mal à le regretter, et il avait toujours eu des dons d'improvisation. Mais il n'était pas facile de réfléchir clairement avec Sophie enroulée autour de lui. Elle lui embrouillait l'esprit, elle l'enivrait de son odeur, de sa chaleur. Plus il resterait allongé là, avec elle dans les bras, plus il aurait du mal à ne pas la faire rouler sur le dos pour la posséder encore. Et encore.

Une bouffée de pure panique le fit se dégager et se redresser. Café. De la caféine et un grand bol d'air qui n'ait pas son odeur, et il serait peut-être capable de réfléchir un peu plus sainement.

Il avait réussi à balancer ses pieds hors du lit quand une main se referma sur son poignet.

— Stop. Tu ne vas nulle part.

5.

— Je ne vais nulle part, dit Tracker.

— Tu l'as dit, énonça-t-elle, resserrant sa prise sur son poignet. Tu ne mettras pas le pied hors de cet appartement avant qu'on ait parlé.

Il se rembrunit.

— Qu'est-ce qui te fait croire que je veux partir ?

— Parce que c'est toujours ce que tu fais. Tu retournes te glisser dans ces ombres que tu aimes tant. Et je ne le tolérerai pas. Il est hors de question que ce soit l'histoire d'une nuit… ou d'une matinée, si tu préfères. Ce n'est pas mon truc. Et je voulais te l'expliquer avant. Je pense qu'il faudrait établir certaines règles de base.

Il s'efforça de s'éclaircir les idées.

— D'accord. Tu as juste un peu d'avance sur moi.

Et c'était ça le problème. Elle avait souvent une longueur d'avance sur lui.

— Tu veux donc plus qu'une nuit, reprit-il.

— Je veux une liaison.

Une foule de pensées se bouscula en lui. Il s'efforça de les trier, de les évaluer. En tant que son amant, il pourrait rester près d'elle vingt-quatre heures sur vingt-quatre, sept jours sur sept. Mais s'ils étaient amants, il se pourrait bien qu'il n'ait plus la tête assez claire pour assurer efficacement sa protection. Le problème c'était…

— Il ne faut pas autant de temps au Congrès pour voter une loi.

Il ne put réprimer un sourire. Il l'aimait presque autant à cran qu'éperdue de désir pour lui.

— Je crois que je pourrais me laisser embarquer dans une liaison.

— Tu crois ? Embarquer ?

Non seulement elle le lâcha, mais elle lui flanqua une bourrade qui faillit l'envoyer par terre. Elle allait lui sauter dessus quand il leva les mains en signe de reddition.

— Pouce. Je demande une trêve. C'était toi qui voulais parler et établir des règles, princesse.

Il fallait qu'il sorte de ce lit, qu'il s'éloigne de son parfum et de ses mains. Si elle lui plongeait dessus encore une fois, il lui referait l'amour.

— Pourquoi n'y réfléchirais-tu pas pendant que je vais nous chercher du café ?

Et peut-être aurait-il aussi le temps de prendre une douche vraiment très froide.

Il gagnait la porte lorsqu'il buta contre un objet, par terre, qui glissa sur le parquet ciré et alla s'écraser contre le mur.

— Merde !

— Que se passe-t-il ? s'enquit Sophie.

— Que se passe-t-il, en effet ? demanda-t-il, englobant d'un regard les divers objets éparpillés sur le sol.

Il s'accroupit afin de les examiner de plus près : un long ruban noir, une paire d'énormes dés très légers et ce qui ressemblait à un jeu de cartes. Ce furent les mots inscrits sur les dés qui lui firent entrevoir la lumière. Il jeta un coup d'œil par-dessus son épaule. Sophie fixait elle aussi les objets, les joues plus colorées qu'avant.

— Des jouets érotiques ?

— Chapeau, Rouletabille !

Encore une surprise. Et il avait comme la désagréable impression qu'il allait y en avoir d'autres. Il remarqua quand même qu'elle avait nettement rougi, mais elle avait relevé le menton et le regardait dans les yeux. Eperdu d'admiration, il n'en ressentit pas moins un besoin pressant de la taquiner encore un peu. Il ramassa donc le jeu de cartes afin de l'examiner de plus près. Tiens, c'étaient des coupons, en réalité.

— Cette carte donne droit à une récré-sexe à la demande, commenta-t-il.

Bon, il la taquinait peut-être, mais il avait déjà le sexe qui réagissait. En levant les yeux, il vit que Sophie s'en était aperçue.

— Intéressant. Comment est-ce que ça fonctionne, exactement ?

— Tu la donnes à ton ou ta partenaire, et elle lui donne droit à ce qui est marqué, à la demande. C'est à lui ou elle de décider de l'heure et de l'endroit.

Nom de nom, il avait déjà envie de la lui tendre. Mais d'abord il avait besoin de réfléchir. Et ils avaient besoin de parler. *Café. Douche froide*. Il remit la carte dans la boîte et reporta les yeux sur les autres objets.

— Tu t'en sers souvent ?

Elle s'humecta les lèvres.

— Je ne les ai encore jamais utilisés. Mac me les a donnés hier soir. Une sorte de cadeau de premier anniversaire de mariage à sa demoiselle d'honneur. Elle voudrait que je sois aussi heureuse qu'elle l'est.

Avec Landry. L'accès de jalousie arriva avec une telle force qu'il fut incapable de respirer. Mac devait savoir que Sophie sortait avec Landry, et elle avait manifestement voulu encourager cette relation. Ce type était parfait pour elle. D'ailleurs, ne l'avait-il pas dit lui-même à Lucas ?

Seulement voilà, Sophie avait quitté ce Landry la veille. Et lui, il devait se raccrocher à cette idée. Ce n'était pas avec Landry qu'elle s'en servirait. Il remit les cartes dans le sac, ramassa les dés et les lança. Ils rebondirent contre la table de nuit et revinrent vers lui.

— Caresse. Pénis, lut-il avant de lui lancer un regard interrogateur.

— Il faut faire ce qu'ils disent.

— Ça, l'enquêteur aguerri que je suis l'avait compris, rétorqua-t-il en souriant. Mais je me demandais qui doit s'y mettre en premier, celui qui a lancé les dés ou celui qui regarde ? Toi, ou moi, princesse ?

La bouche soudain sèche, Sophie eut une vision de lui en train de se caresser. Elle n'avait jamais vu un homme faire cela, et en eut brutalement envie, presque autant qu'elle eut envie de le faire elle-même.

Le fait qu'il eût planté son regard dans le sien, la mettant ainsi au défi de répondre ou de faire le premier pas, lui mit le corps en feu. *Non*. Elle redressa aussitôt l'échine. Pas question qu'il la transforme en chiffe molle encore une fois. Pas avant qu'ils n'aient mis quelques petites choses au point.

— A propos de la liaison…

— Tu veux commencer tout de suite ?

Elle voulait. Presque autant qu'elle voulait retrouver son souffle.

— Il faut d'abord qu'on discute.

Il s'assit par terre.

— D'accord, vas-y.

Il se régalait, comprit-elle. Après l'avoir transformée en une boule de désir, il s'était tranquillement assis là où il était en lui souriant, en la défiant du regard… Et il n'avait même pas dit oui pour la liaison. Cet homme était si prudent, si soupçonneux qu'il pourrait bien se contenter d'atermoyer jusqu'à ce qu'il trouve le moyen de filer.

Tous ceux qu'elle avait aimés l'avaient abandonnée : ses parents, et même Lucas, quand il avait terminé ses études et s'était engagé. Mais elle ne laisserait pas Tracker s'échapper. Elle tendit la main vers la pièce, sur la table de nuit.

— Inutile de pinailler sur des détails tant qu'on n'a pas pris de décision. Est-ce qu'on a une liaison, ou pas ? Pourquoi ne pas faire ça à pile ou face ? Pile, tu sors d'ici et on ne se revoit pas avant le prochain anniversaire de mariage de Mac et de Lucas. Face, on a une liaison sans condition. Tu es partant ?

Tracker ne répondit rien pendant une minute. Son plan café et douche froide avait manifestement vécu. Et maintenant, tout allait se décider sur le lancer d'une pièce de monnaie. Le destin. Peut-être valait-il mieux le laisser décider.

— Vas-y.

Elle le fit, et brandit la pièce.

— Face. Maintenant, on peut pinailler sur les détails.

— Excellent. Une question, d'abord. Qu'est-ce qui se passe quand la liaison se termine ?

Parce qu'elle se terminerait un jour. Forcément. Sophie et lui étaient trop différents, et ce qui brûlait entre eux finirait bien par mourir un jour. Il s'arrangerait juste pour que cela ne meure pas avant qu'elle ne soit en sécurité et le Maître des Marionnettes derrière les barreaux.

— On reprend chacun notre chemin. Pas de regrets ni de récriminations. Et tant qu'elle dure, on est partenaires à égalité.

— A égalité ? s'écria-t-il. Alors ça, ça ouvre des horizons. En tant que partenaire à égalité, je désire ajouter deux ou trois choses à notre accord.

— Qui sont ?

— L'exclusivité. Aucun de nous ne sort avec un ou une autre personne tant qu'on est ensemble.

— D'accord.

— Et faisons-en une liaison où tous les coups sont permis. Partante, princesse ?

L'espace d'un instant, Sophie crut qu'elle allait avoir un autre orgasme, tant le coup qu'elle ressentit dans le ventre fut violent. Luttant pour reprendre son sang-froid, elle s'efforça de s'éclaircir les idées et de soupeser sa proposition. Impossible. Comment y arriver, alors que tout ce à quoi elle pouvait penser, c'était le défi qu'il lui proposait ?

— Marché conclu, ou pas, Sophie ?

Il recommençait à la transformer en chiffe molle, et il le savait. Elle leva le menton.

— Tous les coups sont permis. Est-ce que cela implique que tu entends te servir de ces jouets érotiques ?

Il lui sourit.

— J'en rêve déjà.

Elle se pencha et ramassa le ruban noir.

— Et celui-ci ? Lis l'étiquette.

Il le fit, puis leva les yeux vers elle.

— Je crois qu'on pourrait y arriver.

Non, elle n'allait pas rougir. Grace Kelly ne l'avait jamais fait, et elle était le modèle de référence de Mac. En plus, elle venait tout juste de négocier une liaison sans conditions, où tous les coups étaient permis, quand même.

— Marché conclu.

Ils tendirent la main au même moment, et se la serrèrent vigoureusement. Puis elle pensa, et elle fut presque certaine qu'il pensait aussi, à ce qu'avaient exigé les dés. Ce fut alors que le téléphone sonna sur sa table de nuit.

Sans lâcher sa main, Tracker décrocha et lui tendit le combiné.

— Sophie ? dit une voix familière.

Noah Danforth, l'étudiant qui travaillait à mi-temps pour elle. Pourvu qu'il n'appelle pas pour dire qu'il était malade, la journée s'annonçait chargée.

— Où es-tu, Noah ? s'enquit-elle avant de tourner les yeux vers son réveil.

Seigneur ! Il était 10 h 15, et elle ouvrait généralement la boutique à 10 heures !

— Je suis en bas, au magasin.

— Je… j'ai eu une panne d'oreiller. J'arrive.

— Est-ce que ça va ? Je me suis un peu inquiété en arrivant et en constatant que tu n'étais pas encore là.

— Non, non, tout va bien. Pas de clients, encore ?

— Non, mais j'aperçois Mme Langford-Hughes à travers la vitrine, accompagnée de Chris Chandler et d'un autre personnage. Ils savent que nous attendons une livraison.

— Tiens-leur compagnie jusqu'à ce que je descende.

Tracker lui lâcha la main au moment où elle raccrocha.

— Il faut que j'y aille.

— Je sais, répondit-il en lui souriant, avant de baisser les yeux sur les dés. Je crois que je saurai me souvenir de là où nous nous sommes interrompus. On pourra reprendre ce soir.

Il avait, dans les yeux, de l'amusement et quelque chose de bien plus dangereux quand il les planta dans les siens.

— Penses-y pendant que tu prends ta douche, que tu t'habilles et que tu passes une longue journée dans ton magasin. L'attente a toujours le pouvoir d'accroître le plaisir.

Son sourire fut malicieux, prometteur.

— Toi aussi, penses-y.

Sur le coup d'une impulsion, elle se pencha et effleura sa bouche de la sienne. Une pensée soudaine lui traversa alors l'esprit.

— Je ne peux pas, ce soir. Je suis prise.

— Un rendez-vous galant ?

— Non, d'affaires. Après le travail, je suis invitée à une réception chez Millie Langford-Hughes, une cliente très importante.

— Pas de problème.

Elle l'observa un moment, bien incapable de déchiffrer son expression. Elle devrait se détendre, maintenant qu'il avait accepté le marché, mais elle avait encore peur qu'il disparaisse quand même à tout moment. Et quand, moyennant une somme astronomique, elle était allée s'épancher chez un thérapeute, elle avait finalement « découvert » ce qu'elle savait déjà : elle souffrait du syndrome de l'abandon.

Et elle tenait toujours la main de Tracker…

— Aimerais-tu m'accompagner ?

Fut-ce un éclair de surprise, qui traversa son regard ?

— Tes désirs sont des ordres, princesse. Je pourrais aussi te donner un coup de main, à la boutique, si cela te rend service.

— La boutique. Il faut que je descende.

Elle repoussa ses cheveux et fila vers la salle de bains, avant de se figer à la porte.

— Merci. Sers-toi de café, de ce que tu veux.

Puis elle disparut.

Cinq secondes, Tracker envisagea de la suivre. La princesse avait pris le contrôle de sa tête et d'une partie bien moins disciplinée de son anatomie. Le fait qu'il ait pu s'empêcher, de lui-même, de s'offrir un deuxième round avec elle ne laissait d'ailleurs pas de l'étonner. Surtout après qu'elle lui ait demandé s'il croyait possible la petite manœuvre avec le ruban. Il ne songeait plus qu'à la prendre comme cela.

A vrai dire, il comptait bien la prendre dans toutes les positions possibles et imaginables chaque fois qu'elle lui en donnerait l'occasion. Il avait les hormones en surrégime, ce qui était dangereux, et ça n'allait pas être une mince affaire que de garder sa libido et sa liaison sous un tant soit peu de contrôle tant qu'il avait un travail à faire.

Travail. Il rassembla ses vêtements, les enfila et s'en fut vers la cuisine. Inutile de se raconter des histoires. Il avait, pour une bonne part, accepté cette liaison parce qu'il n'avait pas pu s'en empêcher. Et peu importait la face sur laquelle serait retombée la pièce.

Après avoir versé du café dans deux tasses, il en porta une à ses lèvres et but une longue gorgée du liquide brûlant. En espérant ne pas avoir fait la plus grosse boulette de son existence. Quand la vérité était de sortie, il y avait forcément quelqu'un de blessé. Sophie. Car comment réagirait-elle en apprenant que leur liaison était l'excuse rêvée pour lui servir de garde du corps pendant les jours à venir ?

— Prêt ? lança-t-elle en émergeant de la salle de bains.

Il l'avait déjà vue plus élégamment habillée, alors bon sang, pourquoi le fait de la voir ainsi, en pantalon rouge vif et chemisier de soie abondamment fleuri lui avait-il donné un tel coup dans l'estomac ? Elle avait rassemblé ses cheveux en un chignon lâche sur le dessus de sa tête, ne laissant s'échapper que quelques petites mèches savamment rebelles. Aux pieds, elle portait une paire de sandalettes noires très seyantes. Le simple fait de la regarder lui mit l'eau à la bouche.

—Du café ! Tu me sauves la vie, s'écria-t-elle, avalant vite fait deux gorgées.

Ce n'était pas tout à fait assez, mais tant pis.

Puis elle cavala vers la porte, et était déjà hors de vue quand il parvint dans l'entrée. C'était lui qui avait installé le système de surveillance de la boutique, ce qui lui avait permis de bien connaître les lieux, mais il préféra se les remettre à la mémoire alors qu'il la suivait. La porte au pied de l'escalier donnait sur une petite cour. De l'autre côté du treillis couvert de roses se trouvait l'allée dans laquelle se garaient généralement les camions de livraison.

L'autre porte menait à l'arrière-boutique. Il y pénétra, passa devant les tables à emballer et au travers des portes battantes et trouva Sophie près de la caisse, déjà en grande conversation avec Noah Danforth. Grand et blond, pourvu de lunettes à monture sombre, il était manifestement vêtu à la dernière mode.

Derrière eux, trois clients étudiaient un saladier bleu comme s'ils espéraient y découvrir le secret de l'univers. La femme était grande et portait un tailleur bleu vif surmonté d'un chapeau blanc à large bord. Le jeune homme, petit et râblé, avait rassemblé ses cheveux longs en catogan. Un diamant étincelait à son petit doigt. Le troisième personnage, plus âgé et plus corpulent, avait un faciès jovial et bonhomme. Avec la barbe plus longue, il lui aurait fait penser à un mélange de Père Noël et d'Ernest Hemingway.

Alors que Sophie les rejoignait et se laissait emporter dans une ronde de bises et de poignées de main, il en profita pour aller tendre la main au jeune homme près de la caisse.

— Bonjour, je suis Tracker McGuire, un ami du frère de Sophie. Elle a fait mention d'une grosse livraison aujourd'hui, et je me suis proposé d'aider au déchargement.

— Noah Danforth, répondit l'autre en lui serrant la main. Un coup de main ne sera pas de trop. Un de ces jours, elle va finir par se blesser en essayant de déplacer certaines des grosses pièces dans l'arrière-boutique.

— Des clients importants ? demanda-t-il, mine de rien.

Il pensait bien reconnaître ces trois personnes d'après les descriptions de Chance, mais cela ne coûtait rien de se faire confirmer une intuition.

— La femme est Millie Langford-Hughes, chuchota Noah, et le jeune homme est Chris Chandler, le décorateur le plus en vogue sur Capitol Hill, en ce moment. Il adore se fournir ici.

Ce qu'il n'ajouta pas, mais que Chance lui avait appris, c'était que Millie Langford-Hughes était l'hôtesse la plus en vue de la capitale, et que c'était principalement à elle que Chris Chandler devait sa notoriété. Toujours selon Chance, Chandler était parfaitement placé pour servir d'acheteur au Maître des Marionnettes.

— Et je crois, poursuivit Noah sur le même ton, que le barbu est Sir Winston Hughes, le mari de Millie depuis trois mois. Ils rentrent tout juste de lune de miel à l'étranger, et c'est sa première visite à la boutique.

L'accent cultivé et le ton de confidence de Noah lui donnèrent l'impression d'accéder à des secrets d'Etat. Sir Winston et sa nouvelle épouse étaient également sur la liste de Chance à cause des très fréquentes visites de Millie au magasin, se souvint-il.

Durant ces quelques minutes de conversation, il décida que Noah Danforth, avec son style paisible et contenu, était le faire-valoir idéal du charme plus déluré de Sophie.

La sonnette tinta, et la porte s'ouvrit devant un homme d'une cinquantaine d'années, aux cheveux, costume et cravate uniformément gris.

— Je vous prie de m'excuser, dit Noah à mi-voix en sortant de derrière la caisse. Un de nos habitués, membre du Congrès. Monsieur Blaisdell, que puis-je pour vous ?

Resté seul, Tracker s'accouda au comptoir et embrassa la boutique du regard. A première vue, et malgré ses grandes dimensions, il paraissait y régner un incroyable fouillis. Mais, en y regardant de plus près, ce chaos était manifestement artistiquement ordonné.

Meubles de rangement, vitrines et tables étaient intelligemment disposés afin d'attirer l'attention du chaland et permettre la circulation. Vases, peintures et petit mobilier étaient tous agencés avec un sens certain de la décoration. En face de lui se dressait une armoire d'acajou étincelant dont les portes ouvertes révélaient des châles et des robes d'époque aux dentelles jaunies. Non loin, une table de même facture était entourée de chaises et dressée pour huit personnes, avec vaisselle de porcelaine, argenterie et verres de cristal.

Il se souvint qu'il y avait deux autres pièces, plus petites, au premier étage, et il s'en fut d'un pas nonchalant vers l'escalier.

— Ceci est splendide, tout bonnement splendide, commentait Chris Chandler en se frottant les mains devant le saladier de céramique qu'il étudiait. Cette nuance bleu-vert s'harmonisera tout à fait avec le vestibule de Millie. Comment l'avez-vous déniché, Sophie ?

— Il provient de cette boutique que j'ai trouvée sur la côte Ouest de l'Angleterre. Le propriétaire expose des artistes locaux, et il ouvre l'œil pour moi. Je vous mets une option sur ce saladier, mais avant de prendre une décision, attendez de voir les autres pièces dans le chargement qui arrive aujourd'hui.

— Quand cela ? s'enquit Millie.

— Il ne devrait plus tarder, répondit Sophie en regardant sa montre.

Et, comme si elle n'attendait que cela, la clochette de la porte de service retentit.

— Quand on parle du loup, s'écria Sophie, jetant un coup d'œil par-dessus son épaule.

— Ne vous gênez pas pour nous, très chère, dit Millie. Je tenais seulement à m'assurer que vous viendrez ce soir. Je présente Sir Winston à la bonne société de Washington. Tout le monde sera là.

— Je m'en voudrais de manquer cela, et je ne viendrai pas seule.

— Vraiment ?

Sur un geste de Sophie, Tracker rejoignit le petit groupe et serra des mains pendant qu'elle faisait les présentations.

— A ce soir, donc, lança Millie alors que Chris et son mari l'entraînaient vers la porte.

— Je repasserai après déjeuner pour inspecter le chargement. Merci, dit Chris.

Dès que Sophie disparut en direction de l'arrière-boutique, Tracker gravit l'escalier deux à deux afin d'inspecter le premier étage. Il avait dessiné le système de sécurité en se basant sur les plans, et il vérifiait maintenant le travail effectué par ses hommes en déambulant dans deux chambres à coucher élégamment décorées et pleines à ras bord d'objets haut de gamme. Un cambrioleur futé pourrait passer à travers la première ligne de défense, mais la deuxième strate du système qu'il avait inventé bernerait même un expert.

Satisfait de la sécurisation du magasin, il regarda par une imposte dans la cour arrière et vit Sophie recevoir une liste de l'un des livreurs. Puis elle fit un signe à un autre homme quand il sortit la tête du camion.

Ce n'était pas uniquement la Sophie Wainright au joli minois qu'il avait sous les yeux, ce matin, mais la femme d'affaires avisée qui, en cinq ans, avait réussi à attirer dans sa boutique beaucoup de personnages influents de Washington.

Ce qui ne devrait pas le surprendre. La première fois qu'il l'avait vue, elle était passée devant lui pour aller coller un direct du droit à son frère. Elle avait désapprouvé le fait que Lucas l'ait embauché pour espionner son fiancé. Et maintenant, c'étaient non seulement elle, mais ses clients, qu'il espionnait. Et en plus, il couchait avec elle.

Regarde la vérité en face, McGuire. Tu as eu envie de lui faire l'amour dès l'instant où tu l'as arrachée à Lucas, ce jour-là, et où elle a pleuré dans tes bras. Force était de reconnaître que son attirance datait de ce jour précis et l'avait mené là où il était à présent. Coincé entre le marteau et l'enclume.

En bas, la clochette tinta, des voix résonnèrent. Il ne lâcha pas Sophie des yeux alors qu'elle gravissait la rampe menant au camion.

Il n'était pas trop tard pour lui dire la vérité. Il pourrait descendre tout de suite et lui dire la véritable raison de sa présence.

Oui, mais ensuite, il faudrait faire avec sa réaction. Elle pourrait très bien lui ordonner de déguerpir. Et c'était impossible. Elle l'avait déjà berné une fois, l'an dernier, en se faisant passer pour Mac, et en finissant kidnappée à la place de son amie, justement. Elle n'avait pas été loin d'y laisser la vie. Cette fois, il ferait tout pour la protéger.

Les deux livreurs entreprenaient de descendre une caisse le long de la rampe quand un autre personnage sortit par la porte de derrière et arriva dans la cour. John Landry. Tout en jurant dans sa barbe, Tracker se détourna de la fenêtre et courut vers l'escalier.

S'il voulait protéger Sophie, il ferait peut-être mieux de garder le travail à l'esprit.

— Posez-la dans l'arrière-boutique, dit Sophie. Noah s'occupera de la déballer.

Alors que les débardeurs mettaient pied à terre avec la caisse, John Landry mit le pied dans la cour.

— Vous arrivez juste à temps pour nous aider, s'exclama Sophie.

En souriant, il la rejoignit sur le camion.

— C'est pour cela que je suis venu. Que puis-je faire ?

Elle jeta un coup d'œil à sa liste, puis vérifia le numéro d'une caisse plus petite et posa le doigt dessus.

— Ceci doit être une écritoire Louis XIV. Deux de mes clients vont faire monter son prix en enchérissant l'un sur l'autre pour l'avoir. Vous pensez pouvoir la porter seul ?

— Je vais lui donner un coup de main, dit Tracker en les rejoignant. Mais permettez que je me présente. Tracker McGuire.

— John Landry.

En voyant que ni l'un ni l'autre ne tendaient la main, Sophie se crut tenue d'intervenir :

— Tracker est un ami de mon frère, et il a proposé de m'aider aujourd'hui.

Ni l'un ni l'autre ne fit mine de l'avoir entendue, et le silence s'éternisa.

— Je prends ce côté, finit par dire Tracker. Vous y êtes ?

— Oui, répondit Landry en soulevant l'autre extrémité de la caisse.

Sophie les regarda faire, renfrognée, jusqu'à ce qu'ils arrivent à descendre la rampe. Alors, l'espace d'un instant, elle eut l'impression qu'ils allaient en venir aux mains. Mais la caisse arriva sans encombre dans l'arrière-boutique. Elle reporta son attention sur sa liste de caisses numérotées.

Quatre d'entre elles venaient de l'échoppe dont elle avait parlé à Chris et Millie. Elle s'y était arrêtée deux fois, lors de son dernier voyage en Angleterre. Enfin, elle localisa la caisse qu'elle cherchait. Celle qui, d'après la liste, contenait le cheval de céramique qu'elle cherchait depuis des siècles.

Elle empoigna la caisse et descendit la rampe en trombe. S'il lui plaisait vraiment, elle le garderait pour sa collection. Et ce fut l'âme en fête qu'elle escalada en courant l'escalier menant à son appartement.

Décharger le camion et disposer les objets dans la boutique nécessita plus de deux heures de manutention. Tout en aidant à vider les caisses et à vérifier que rien n'avait souffert du transport, Tracker eut largement le temps de chercher des tiroirs secrets, des doubles-fonds ou des fausses façades. L'ennui, c'est qu'il en alla de même pour Landry, pour Noah, et même pour Chance, qui s'était joint à eux une heure avant de devoir ouvrir sa galerie. Pour autant que le sût Tracker, aucun n'avait rien trouvé.

Et puis, il fallut disposer et étiqueter le nouveau stock. En travaillant, il eut tout loisir d'observer la manière dont Sophie se comportait avec les trois hommes.

Elle traitait Noah en petit frère, alternant taquineries et louanges. Avec Chance, elle paraissait avoir le même genre de relation qu'avec Noah. Ce n'était qu'avec Landry qu'elle était différente. Elle ne le taquinait pas, ne le touchait pas aussi facilement que les deux autres. Elle était… réservée, en quelque sorte. Oh, il y avait du désir chez Landry, il l'avait vu dans ses yeux, la veille au soir, et aussi quand il les avait rejoints dans le camion. Mais, dans la manière d'être de Sophie vis-à-vis de Landry, tout ce qu'il pouvait percevoir, c'était… du regret ?

Il dut faire un effort pour écarter cette idée. Landry était peut-être partie prenante dans cette opération de contrebande. C'était là-dessus qu'il devrait se concentrer, et non sur la relation du personnage avec Sophie.

Ils avaient tous travaillé dur. Même Landry avait fourni sa part d'effort. Mais ce fut Sophie qui le surprit le plus. Loin de se contenter de son rôle de princesse du lieu, et de distribuer des ordres, il la vit plus souvent qu'à son tour s'efforcer de déplacer des meubles trop lourds pour elle. Par deux fois, il la surprit à trimbaler des objets très pesants et dut les lui prendre des mains.

Finalement satisfaite de la disposition du magasin, elle les poussa tous dans l'arrière-boutique et sortit un pack de bières du réfrigérateur.

— A votre santé, dit-elle en le posant sur la table, avant d'être rappelée dans le magasin par le tintement de la clochette.

— Ce sera pour une autre fois, dit Chance en enfilant sa veste. La galerie m'appelle.

— Est-ce que vous recevez souvent de telles livraisons ? s'enquit Tracker en acceptant la canette décapsulée que lui tendait Noah.

— Deux ou trois fois par mois, répondit ce dernier. Sophie a deux contacts en Angleterre, un à Londres et un sur la côte Ouest. Les affaires marchent bien, et il faut régulièrement renouveler le stock.

— Etes-vous un de ces contacts ? demanda-t-il alors à Landry.

— Je l'ai aidée à dénicher une ou deux pièces. Je dispose d'un vaste réseau de fournisseurs, et je m'efforce de la convaincre de faire plus souvent appel à moi quand elle recherche des pièces qu'on lui a commandées spécialement.

Ces commandes spéciales, allaient-elles jusqu'à des bijoux ou des objets d'art frauduleusement importés ? Chance pensait peut-être que ce type était au-dessus de tout soupçon, mais lui-même n'en était pas persuadé. Il l'avait vu témoigner un intérêt un peu trop appuyé au moindre objet sortant des caisses.

— Elle va bientôt chercher un bureau Reine Anne, intervint Noah. M. Blaisdell lui en a demandé un, ce matin.

— Sauriez-vous quelles autres pièces je pourrais éventuellement rechercher pour elle ? demanda Landry.

Les laissant discuter, Tracker gagna la porte menant au magasin. Une jeune femme attendait, et Sophie, montée sur un escabeau tentait d'atteindre quelque chose dans la vitrine. Elle faillit perdre l'équilibre sous ses yeux. Il la rejoignit en trois enjambées.

— Laisse-moi faire, intervint-il, posant les mains autour de sa taille. Que veux-tu attraper ?

— La poupée de porcelaine, là, sur le cheval à bascule.

Au moment où il la lui tendit, elle décolla prestement l'étiquette et la fourra dans sa poche. Puis elle la confia à la jeune femme. Celle-ci la tourna et la retourna dans ses mains, lissa le col de dentelle.

— Melly va l'adorer. Je travaille chez le glacier, de l'autre côté de la rue, et chaque fois que nous passons devant votre vitrine, elle s'arrête pour la regarder.

— Je crois qu'elles vont bien aller ensemble, dit Sophie. Quel âge à Melly ?

— Elle aura six ans le 4 juillet, répondit la jeune femme avant de poser la poupée sur le comptoir. Combien vous dois-je ?

Sophie ramassa la poupée et l'examina, pensive.

— L'étiquette a dû tomber, dit-elle en plissant les yeux. Vingt-cinq dollars.

La femme la fixa, ahurie.

— Je croyais qu'il avait dit… le jeune homme à qui j'ai demandé… il m'avait dit qu'elle coûtait plus de cent dollars, bafouilla-t-elle, tendant la main vers sa poche. J'ai l'argent.

— Vous avez dû parler avec Noah, mon assistant.

— Oui. Et je suis sûre qu'il a dit…

Sophie se pencha vers elle, complice.

— Les hommes ! Ils ne connaissent absolument rien aux poupées. Demandez-lui le prix du secrétaire Louis XV, là-bas, et il vous le dira sans même regarder. Mais il se trompe toujours pour les poupées. Celle-ci coûte vingt-cinq dollars. A prendre ou à laisser.

La femme ouvrit la bouche, la referma. Dans son regard, Tracker vit la fierté le disputer à l'envie d'offrir le jouet de ses rêves à sa fille.

— Je prends.

— Bien. Je vais vous faire un paquet, dit Sophie en emportant la poupée dans l'arrière-boutique.

Ainsi, la princesse avait du cœur. S'il ne l'avait pas déjà appréciée, ce serait fait à l'heure qu'il était.

— Nous nous verrons donc ce soir ? entendit-il dire Landry alors qu'il regagnait lui aussi l'arrière-boutique.

Il se rembrunit. Le gaillard ne lâchait pas facilement prise.

Il poussait la porte quand Sophie répondit :

— Bien sûr.

Noah avait disparu, et il vit Landry effleurer la joue de Sophie d'un baiser.

— Voulez-vous que je passe vous chercher ? demanda-t-il.

— Je dérange ? fit Tracker en entrant.

Sophie lui jeta un regard en coin.

— John doit partir, mais il assistera à la réception de Millie Langford-Hughes, ce soir, expliqua-t-elle avant de se tourner vers Landry. Tracker sera également là.

— Nous y allons ensemble, précisa l'intéressé.

— Je vois.

Eh bien oui, c'est comme ça, songea Tracker, gardant Landry à l'œil tant qu'il n'eut pas franchi la porte.

— Tu as volontairement essayé de l'intimider, dit Sophie.

Tracker reporta son regard sur elle et lui sourit.

— Je n'ai pas fait qu'essayer.

— Déjà, dans le camion, tu as fait la même chose. Pourquoi ?

— Il te veut, et…

Il s'interrompit avant que les mots ne lui échappent. Avant de dire « tu m'appartiens ». Au lieu de cela, il réussit à sourire.

— Et nous avons passé un accord, princesse.

— Exact, répondit-elle en venant à lui, l'œil scrutateur. Et je ne crois pas que tu me dises l'entière vérité. Je n'ai pas pu m'empêcher de remarquer ta manière de l'observer pendant que nous déballions les caisses. Tu observais tout le monde, à propos. Pourquoi ?

Elle était intelligente, et s'il n'y prenait pas garde, la princesse n'allait pas tarder à en comprendre nettement trop pour son bien. Il se maudit intérieurement et se rapprocha d'elle.

— C'est à cause des dés.

— Les dés ? s'étonna-t-elle en ouvrant de grands yeux alors qu'il la coinçait contre le comptoir.

— Je ne veux pas que tu t'en serves avec un autre homme. Seulement avec moi.

Et il comprit alors que c'était la vérité. Qu'il proférait dans le même temps la vérité la plus absolue et le pire des mensonges. Mais il ne pouvait la laisser soupçonner la véritable raison de sa présence chez elle et dans son lit. Des années à vivre dans la rue lui avaient donné le talent de mentir de façon très convaincante.

— Tu es jaloux ?

— Ça se pourrait. Il est beau, je ne le suis pas.

Il se rapprocha encore et vit son reflet dans ses yeux qui s'assombrissaient. Non, il n'était pas beau. Il assurerait sa sécurité par tous les moyens possibles. Y compris en couchant avec elle. Il baissa la tête et fit courir sa bouche sur sa mâchoire. Puis il lui murmura à l'oreille :

— Te souviens-tu de ce que disaient les dés, princesse ?

— Oui, répondit-elle, le souffle court.

— Dis-le moi.

— Non.

— Non ?

Surpris, il s'écarta pour la regarder. Elle avait dans les yeux un mélange de désir et d'espièglerie.

— Tu ne préfères pas que je te montre ? dit-elle.

Une main se posa alors sur lui, puis se déplaça tout le long de sa braguette. Il tressaillit et ravala un gémissement.

— Sophie…

Il agrippa le bord du comptoir derrière elle, très fort, en n'imaginant que trop ce que cela ferait, d'avoir ses mains sur lui sans la barrière des vêtements. L'espace d'un instant, il se laissa aller à imaginer qu'il l'extrayait de ce pantalon rouge, qu'il la juchait sur le comptoir et qu'il s'enfouissait en elle. Oh, juste l'espace d'un instant. Puis il chuchota :

— Dans trois secondes, la maman de Melly pourrait bien avoir le choc de sa vie.

Lentement, elle écarta la main. Puis elle croisa son regard.

— Nous finirons cela plus tard.

— A ta disposition, princesse.

Il lâcha sa prise sur le comptoir et s'écarta, puis la regarda ramasser le paquet et gagner la porte de la boutique. Alors, il prit une profonde inspiration, et expira lentement.

Avant de pousser le battant, elle se retourna.

— Et puis ensuite, ce sera à mon tour de lancer les dés.

Et il crut recevoir un uppercut à l'estomac. Se servir du sexe pour distraire Sophie allait peut-être se révéler une arme à double tranchant.

Le Maître des Marionnettes sourit à son vis-à-vis en pianotant un numéro sur son téléphone. La partie d'échecs se déroulait impeccablement bien. D'ici très peu de temps, il serait en possession de la dernière pièce.

— Rapport, dit-il dès qu'on décrocha à l'autre bout de la ligne.

— Je ne l'ai pas.

Le sourire s'évanouit.

— Vous m'avez trahi ?

— Non. Je vous jure qu'elle ne se trouve pas à la boutique.

D'une main, il balaya les pièces de l'échiquier.

— Elle a été envoyée. Je dispose d'une copie du manifeste d'expédition sous les yeux. Vous m'avez trahi.

— Non. Je vais mettre la main dessus. Je crois savoir ce qui a pu se passer.

— Ce qui *a pu* se passer ?

— Vous l'aurez bientôt. Je vous l'apporterai en personne.

— Vous avez jusqu'à minuit.

Il coupa la communication et s'obligea à sourire à son vis-à-vis.

— Toutes mes excuses. Nous allons devoir recommencer une partie.

6.

Ils étaient en retard. Ce qui, logiquement, aurait dû excéder Sophie, systématiquement ponctuelle lorsqu'il s'agissait de travail. Et un cocktail chez Millie Langford-Hughes n'était jamais qu'une extension de sa journée de labeur. Mais elle avait énormément de mal à éprouver des regrets alors que leur retard était dû au désir insatiable de l'homme assis auprès d'elle.

A la dérobée, elle jeta un coup d'œil à Tracker. Assis très droit sur son siège, les yeux protégés du soleil couchant par des lunettes noires, il avait une mine indéchiffrable.

Peut-être pensait-il à ce qui s'était passé dans la douche quand il l'y avait rejointe. Au départ, il n'en avait pas eu l'intention. C'est du moins ce qu'il lui avait dit après l'avoir soulevée et plaquée contre le mur, ce qu'il avait répété quand elle avait enroulé ses jambes autour de lui, et quand il s'était enfoncé en elle. Mais il n'avait pas pu s'en empêcher, et il n'avait pas été doux. Le souvenir de sa presque brutalité, du désespoir perceptible dans ses caresses rudes, dans ses coups de reins, fit naître un sourire sur ses lèvres… et un éclair de désir en elle. Qu'un homme puisse la désirer aussi intensément l'emplissait d'une sensation de pouvoir inouïe.

De la douceur, il en avait fait preuve après, quand il l'avait tenue dans ses bras jusqu'à ce qu'il n'y ait plus d'eau chaude. Il serait si tentant d'interpréter cette gentillesse comme le signe d'une certaine tendresse. Mais elle ne pouvait se le permettre, et elle ne le ferait pas. Par peur d'être déçue.

En voyant le feu passer à l'orange, elle écrasa la pédale de frein et prit le virage sur les chapeaux de roues.

— Doucement, princesse, s'exclama Tracker en se rattrapant au tableau de bord.

Elle lui jeta un coup d'œil. Il paraissait encore plus grand, sur le siège avant de sa Miata. Soudain, elle se rendit compte de la situation : ils parcouraient les rues dans une décapotable, exactement comme Grace Kelly et Cary Grant dans *La main au collet*. A ceci près que Grace Kelly ne venait pas de s'envoyer en l'air dans sa cabine de douche. Elle ne put réprimer un éclat de rire en s'arrêtant à un feu rouge.

— Il est possible de rire avec toi ? demanda Tracker.

Elle se tourna alors vers lui, et son cœur fit un bond dans sa poitrine. Il était entièrement vêtu de noir. Non pas le jean et le T-shirt qu'il avait portés dans la journée, mais un pantalon droit et une élégante chemise en lin, ouverte au col. Le simple fait de le regarder lui mit l'eau à la bouche. Les lunettes de soleil dissimulaient ses yeux et lui donnaient l'air encore plus mystérieux.

Une curieuse petite douleur commença à enfler en elle. Mais comment pouvait-elle le désirer encore, si peu de temps après ?

— Je me disais tout simplement que j'aimerais bien tout laisser tomber et continuer à conduire, peut-être dans la montagne. Tu n'as jamais eu envie de faire un truc comme ça, un peu fou ?

— A peu près chaque jour de ma folle jeunesse.

— C'est bizarre, quand même. J'ai du mal à t'imaginer ayant une seule fois une telle envie. Tu parais tellement absorbé par ton travail.

— Tu ne crois pas que c'est un peu l'histoire de la paille et de la poutre ? J'ai rarement vu quelqu'un se concentrer autant sur son travail que toi.

Si ces mots lui causèrent un plaisir infini, elle refusa de se laisser distraire de son sujet.

— As-tu jamais cédé à la tentation ?

— Trop souvent pour en tenir le compte, répondit-il, tendant la main pour écarter une mèche de sa joue. Si tu voulais laisser tomber la réception, je suis prêt à parier que tu trouverais un moyen de me persuader.

Différentes méthodes lui vinrent aussitôt à l'esprit, et elle eut la tentation de les essayer une à une. Mais un vigoureux coup de Klaxon, derrière elle, l'obligea à se reprendre. Et à redémarrer.

— Millie ne me le pardonnerait jamais, lui dit-elle, engageant la voiture dans une allée circulaire. Dommage, le côté persuasion me tentait bien. On remet à plus tard ?

Il lui sourit.

— D'accord. Je jouerai même à celui qu'on ne convainc pas facilement.

Ce fut en riant aux éclats qu'elle tendit ses clés au valet qui ouvrait sa portière. En rejoignant Tracker de l'autre côté, elle baissa la voix :

— Tu n'y jouais visiblement pas, tout à l'heure…

— Je n'y ai pas été avec le dos de la cuiller, confessa-t-il, la mine de nouveau grave.

Elle l'observa un instant. Non, il n'était pas homme à être jamais facile à vivre pour une femme. Puis elle sourit lentement.

— Je pense qu'il faudra juste que je te rende la monnaie de ta pièce.

Ce fut au tour de Tracker de l'étudier. Il avait été brutal avec elle, tout à l'heure, dans la douche. Cependant, il ne lui avait pas fait mal, et il commençait à croire que cela n'arriverait jamais. Du moins pas sur le plan physique. Puis il finit par lui répondre.

— Cette réception pourrait bien te servir de revanche.

— Tu n'aimes pas ce genre de soirées ? demanda-t-elle alors qu'il lui prenait le bras pour monter l'escalier.

— J'ai en tête deux ou trois petites choses que je préférerais faire, répondit-il alors qu'un personnage tenant plus du pilier de rugby que du majordome leur ouvrait la porte.

— Bonsoir, mademoiselle Wainright.

— Bonsoir, Callahan, répondit-elle en se haussant sur la pointe des pieds pour l'embrasser. Voici un ami de mon frère, Tracker McGuire. Mme Langford-Hughes a été prévenue de sa présence.

Après avoir soupesé Tracker du regard, Callahan hocha la tête.

— Ils sont dans le solarium.

— J'ignorais qu'on embauchait des videurs dans les réceptions de l'élite washingtonienne, fit remarquer Tracker alors qu'ils parcouraient l'immense vestibule séparant les deux ailes de la demeure.

— Mais non. Callahan est au service de la famille de Millie depuis toujours. C'est un vrai nounours. Sir Winston est son troisième mari, et je crois qu'une partie du travail de Callahan consiste à flanquer les maris à la porte quand ils commencent à devenir désagréables ou violents.

— Tu crois que Sir Winston pourrait le devenir ?

Elle secoua la tête en souriant.

— J'en doute. Il était très prévenant avec elle, au magasin, et Millie prétend que c'est son premier mariage d'amour.

Le solarium était une pièce gigantesque, au plafond vitré, parsemée de toute une variété de plantes et arbres en pots, et dont les portes-fenêtres donnaient sur le patio dallé et les jardins. L'air embaumait le parfum des fleurs et les effluves de mets délicieux. Tout le long d'un mur étaient alignées des tables couvertes de plats délicats. Installé contre le mur opposé, un ensemble à cordes jouait du Mozart. La musique se mêlait aux rires et au tintement des verres tandis que l'élite de la nation discutait ou négociait. Sophie redressa le buste et scruta attentivement la foule.

— Tu aimes vraiment ce genre de choses, n'est-ce pas ? lui demanda Tracker.

— Chacun de ces convives est un client potentiel. Je les regarde, et j'entends le son délicieux de ma caisse enregistreuse.

— On croirait entendre ton frère.

Surprise, elle tourna la tête vers lui.

— Je ne suis en rien semblable à Lucas. Lui, c'est le fils dévoué qui a repris et sauvé la compagnie. J'y ai travaillé deux ans, et jamais, pendant ces deux ans, je n'ai réussi à le satisfaire. Il voulait toujours rester dans le classique, alors que je rêvais de nouveauté. C'est parce qu'il fallait que je me sorte de ce piège que j'ai créé mon commerce.

— Tu avais besoin d'être libre, d'être ton propre patron. Mais vous avez la même détermination, Lucas et toi. Ta boutique compte autant pour toi que la Wainright & Co pour lui.

Rembrunie, elle se remit à scruter la foule.

— Si tu veux. Tu as raison en ce qui concerne mon besoin de liberté. Et je vois même quelques similitudes dans la manière dont nous nous consacrons à notre travail. Mais à part cela, Lucas et moi sommes aussi différents que… eh bien, que toi et moi, et…

Elle lui saisit la main.

— Millie et Chris Chandler s'avancent dans notre direction, dit-elle en faisant un pas vers eux, avant de lui jeter un coup d'œil. Tu ne vas pas trop t'ennuyer ?

— Je vais faire avec. Vas-y, toi, et fais ce que tu as à faire.

Elle prit une profonde inspiration, fourra sa main dans sa poche et en sortit une carte, qu'elle avait apportée, et dont elle allait se servir.

— Je veux que tu réfléchisses à ceci, dit-elle en la lui tendant.

Elle retint son souffle quand il prit le carton et baissa les yeux dessus. C'était le bon pour « une récré-sexe » qu'elle avait emporté, mais en pensant ne le lui donner qu'à la fin de la réception.

— Cela pourrait t'épargner de trop t'ennuyer, précisa-t-elle à mi-voix.

Il ne répondit rien, mais quand leurs yeux se rencontrèrent, le feu qu'elle lut dans les siens l'incendia littéralement.

— Je vais faire bien plus qu'y réfléchir, princesse.

Son regard avait pris une expression hypnotique, et elle songea à sa décapotable rouge, puis qu'il serait si facile d'attraper la main de Tracker et de filer au pas de course vers elle. Les collines de Monte Carlo lui faisaient signe.

— Sophie, très chère, j'étais inquiète. Vous n'êtes jamais en retard, s'écria Millie, lui prenant les mains avant de plaquer deux bises sur ses joues.

Puis Sophie retrouva ses mains enfouies dans les grandes pattes de Sir Winston.

— Je suis vraiment ravi que vous ayez pu venir, ma chère. Cela avait beaucoup d'importance pour Millie et, donc, pour moi.

L'espace d'une seconde, en plongeant dans ces yeux gris pétillants, elle eut une impression de familiarité, comme ce matin à la boutique. Il y avait une telle chaleur, une telle sincérité dans son regard. Elle n'arrivait pas à savoir s'il lui rappelait le Père Noël, ou Ernest Hemingway. Quoi qu'il en soit, elle ne doutait absolument pas que Millie ait réellement trouvé le grand amour.

— Ravie de vous revoir, monsieur McGuire, dit Millie en prenant la main de Tracker. Je suis contente que vous ayez pu venir, car j'ai ici quelqu'un qui meurt d'envie de vous connaître.

Tracker jeta un coup d'œil à Sophie alors que leur hôtesse l'entraînait vers le patio. Sir Winston la salua de la main avant de suivre sa femme.

— Seigneur, dit Chris à mi-voix. J'ai vu la manière dont McGuire vous regarde.

Il fit semblant de s'éventer.

— Je crois que si on pouvait mettre un tel regard en bouteille, on n'aurait plus de problèmes de conservation d'énergie. Je dirais que pour vous, il est un peu plus que l'ami de votre frère.

Elle se tourna vers lui en faisant une prière pour ne pas rougir.

— Il est aussi le mien.

— Ça, je n'en doute pas, répondit Chris en lui prenant le bras. Et je n'en soufflerai mot à personne. Il vous correspond infiniment plus que cette espèce de frimeur conformiste et égocentrique que vous avez failli épouser l'an dernier.

Elle réprima difficilement un éclat de rire, car la description de Chris de son ex-fiancé lui allait comme un gant.

— Quant à ce Landry, il pourrait tout aussi bien être le clone de votre ex. Vous êtes infiniment mieux assortie avec M. McGuire.

— Mieux assortie ? répéta-t-elle, éberluée, en le regardant. Pourquoi dites-vous cela ? Tracker et moi n'avons rien en commun.

Chris agita la main et lui fit un clin d'œil entendu.

— Si, la passion. Elle fait virtuellement crépiter l'air autour de vous, et il y a pire pour commencer. Mais assez discuté de votre vie amoureuse. Avant de vous présenter à ce client potentiel à qui j'ai fait votre panégyrique, je voudrais savoir quand est prévu votre prochain arrivage. Un autre de mes clients est très intéressé par les œuvres de ce céramiste qui a réalisé le saladier retenu par Millie. Il recherche quelque chose sur le thème équestre. Je crois, ajouta-t-il sur le ton de la confidence, qu'il fait une fixation sur les dadas.

Sophie croisa les doigts dans son dos.

— Je vais ouvrir l'œil.

*
* *

Millie leur fraya un chemin parmi la cohue, en droite ligne vers un couple debout de l'autre côté de la pièce.

— Je voudrais vous présenter ma nièce, Meryl Beacham, dit-elle à Tracker. Elle dirige la galerie d'art voisine de la boutique de Sophie.

Elle s'arrêta net devant une femme splendide aux cheveux très bruns à la coupe étrange. Debout près d'elle se tenait Chance.

— Meryl, je voudrais te présenter Tracker McGuire, un ami de Lucas et Sophie Wainright. Et voici Carter Mitchell, le directeur de galerie de Meryl.

— Carter, dit Tracker en prenant la main tendue de Chance, puis en se tournant vers Meryl. Enchanté.

— Moi de même, répondit celle-ci.

— Je savais que vous vous entendriez. Amusez-vous bien, reprit Millie en leur adressant un signe de la main, avant d'entraîner Sir Winston vers d'autres aventures.

Meryl tourna les yeux vers l'entrée voûtée du solarium.

— Ma tante, qui est la reine des marieuses, me présente tous les représentants du sexe fort qu'elle peut dénicher. Cependant, je pense que nous sommes tranquilles, maintenant. Un général vient d'apparaître sur son radar personnel, et tante Millie a d'autres chats à fouetter pour l'instant, dit-elle, avant de reporter son attention sur Tracker. Pourquoi ne vous ai-je encore jamais vu dans les parages de la boutique de Sophie ?

— Je suis ici en vacances.

La brune avait l'air affable et ouverte, mais le fait que Chance n'ait pas mentionné qu'ils s'étaient « rencontrés » dans la journée, au magasin, avait éveillé sa méfiance.

— Alors, si je comprends bien, Sophie vous a vu en premier et vous êtes pris ?

Il sourit, désarmé par sa franchise.

— On peut dire cela comme ça, oui.

— C'est bien ma veine, dit-elle regardant Chance. Voilà que je me retrouve avec les deux plus beaux spécimens masculins de la soirée : l'un est homosexuel et l'autre déjà pris. Allons, Carter, si je ne peux pas faire joujou avec M. McGuire, autant t'envoyer faire de la publicité pour la galerie auprès de tous ces clients potentiels.

Tracker pivota vers la foule, et son regard tomba immédiatement sur Sophie, en grande discussion avec un personnage à la moustache gominée, Charles Lipscomb, nouvel ambassadeur d'Angleterre auprès des Nations unies. Elle était vraiment venue pour travailler. Et l'admiration qu'il avait pour elle monta d'un cran quand il repensa à la journée qu'elle venait de vivre. Il l'avait toujours considérée comme une princesse rebelle et trop gâtée, mais jamais il n'aurait pu imaginer qu'elle se considérait comme la ratée de sa famille. Sentiment qu'il ne comprenait que trop bien. Jamais il ne s'était intégré dans aucune des familles d'accueil où on l'avait envoyé.

Puis il tourna les yeux vers l'entrée que devaient emprunter tous les nouveaux venus, et repéra John Landry. Eh bien, exception faite de Noah Danforth, tous les suspects que lui avait énumérés Chance étaient présents. Et lui-même n'avait pas encore la moindre idée de l'identité de celui qui mettait la vie de Sophie en danger.

— Il y a des fois où ce boulot me fatigue, dit Chance, près de lui. Mon adorable compagne et patronne m'accorde une pause pour aller fumer une cigarette. Mon whisky et moi allons donc faire un tour dans le patio. On s'y retrouve dans une minute ?

Tracker attendit que Chance fût sorti avant de se diriger avec nonchalance vers une porte-fenêtre. Une fois dehors, il repéra Chance derrière un palmier en pot et le rejoignit.

— Ta patronne est une femme intéressante.

— Si ce n'était pour ma couverture, répondit Chance en lui souriant, je crois qu'elle et moi pourrions prendre un peu de bon temps.

Il tira sur sa cigarette.

— Tu sais ce qu'on dit, répondit Tracker. Il vaut mieux ne pas mélanger travail et plaisir.

— C'est *toi* qui me dis ça ? s'exclama Chance en manquant de s'étrangler avec sa fumée.

Tracker se rembrunit et jeta un coup d'œil vers les portes-fenêtres.

— Ce n'est pas pareil. Sophie n'est pas pareille. Et c'est compliqué, dit-il en repérant que Landry se frayait un chemin vers la partie de la pièce où se trouvait Sophie. Pour le moment, je n'ai pas trouvé un autre moyen de rester assez près d'elle pour assurer sa protection.

— Je dirais même que c'est la super planque, commenta Chance en levant son verre.

— Je ne l'avais pas prévu ainsi, répondit Tracker en braquant sur lui un regard réfrigérant, mais je ferai tout ce qu'il faudra pour assurer sa sécurité. C'est assez épineux, dans la mesure où elle est aussi futée que son frère.

Chance émit un petit sifflement.

— Oui, à ce point, renchérit Tracker. Il va nous falloir épingler ce type très vite, car Sophie va finir par comprendre ce que je mijote. Et là, je suis incapable de prédire comment elle va réagir, sinon en me flanquant à la porte. Je veux savoir tout ce que tu sais.

— Je t'ai déjà…

— Plus de baratin. Dis-moi pourquoi tu ne veux pas que ta patronne sache que tu nous as aidés cet après-midi. Elle ne figure pourtant pas au nombre de tes suspects.

Avec un sourire qui ne gagna pas ses yeux, Chance jeta sa cigarette et l'écrasa d'un coup de talon.

— Relax. Je ne veux pas que Meryl sache à quel point je suis devenu intime avec Sophie en partie pour protéger ma couverture. Elle est un peu jalouse du succès de Sophie. Tu comprends, elles viennent du même milieu, mais là où le bât blesse, c'est que Sophie a pour le commerce un talent que Meryl n'aura jamais, même si elle n'est pas mauvaise, expliqua-t-il, tendant son verre à Tracker. Tiens, le calumet de la paix. Il doit me rester cinq minutes avant qu'elle ne me fasse signe de me remettre au travail.

Après avoir bu une gorgée de scotch, Tracker lui rendit son verre.

— Accouche.

— Ce que je vous ai dit à la réception de Lucas est exact, pour autant que je sache. Nous ignorons qui se cache derrière la contrebande. Ce que nous savons, c'est que le Maître des Marionnettes a des relations très haut placées des deux côtés de l'Atlantique, poursuivit Chance, buvant son verre à petites gorgées. Ce n'est pas par hasard que je travaille dans la galerie de Meryl, car sa tante Millie et elle ont énormément de relations, et aussi bien l'une que l'autre pourrait servir de médiateur, à moins qu'elles ne soient que des pions, à l'instar de Sophie. Nous n'en savons rien.

— Aucune bonne nouvelle ?

— Non. Nous avons affaire à un individu très dangereux. Le mieux que tu puisses faire, c'est te coller à Sophie comme une arapède et donner une impression habituelle de travail.

— Bon, dit Tracker en hochant la tête. Essayons par un autre côté. Dans ce qu'on a déballé aujourd'hui, as-tu une quelconque idée de l'objet contenant la pièce ?

— Non, je n'ai pas pu le découvrir. Mais j'essaie toujours. Je devrais avoir une réponse avant de partir d'ici.

— Carter, j'ai besoin de toi.

Tous deux pivotèrent vers Meryl Beacham, debout à la porte-fenêtre.

— J'arrive, chérie, répondit Chance en partant vers elle.

Tout en refrénant son impatience, Tracker leur emboîta le pas en direction du solarium. Il n'avait d'autre choix qu'observer et attendre.

Chaque fois qu'elle en avait l'occasion, Sophie cherchait Tracker du regard. En ce moment, il était entouré de femmes. Pas étonnant. Elle reconnut la grande blonde tout en jambes qui était secrétaire du service de presse présidentiel, et aussi greffier du premier magistrat de la Cour Suprême. Mais ce qui l'étonna, ce fut l'aisance de Tracker, comme s'il avait baigné dans le Tout Washington toute sa vie.

Pour quelqu'un qui n'aimait pas les réceptions, il n'avait pas l'air de s'ennuyer le moins du monde. Et pour la première fois depuis qu'elle le connaissait, elle se demanda ce qu'il faisait en dehors de ses heures de travail pour Lucas.

— Cette robe vous sied à ravir.

Elle tourna la tête et découvrit John Landry. Il lui tendait un verre de vin blanc. Elle l'accepta avec reconnaissance.

— Grand merci. Vous-même êtes très élégant.

Et c'était vrai. John était tout à fait le genre d'homme dont elle avait toujours pensé tomber amoureuse un jour. Le genre d'homme dont, par trois fois déjà, elle avait tout fait pour tomber amoureuse.

Elle but une gorgée de vin. Mais d'où était bien sortie cette idée ? Et pourquoi ne s'était-elle encore jamais rendu compte de la similitude entre Bradley, Sonny et John ? Des hommes d'affaires solides et beaux correspondant tout à faire au genre d'homme que devrait épouser une fille Wainright.

Elle reporta le regard sur Tracker. Tracker McGuire, le contraire absolu de tous les hommes avec qui elle avait envisagé une relation sérieuse. Il était le genre d'homme qu'on kidnappe en cabriolet rouge et avec lequel on a envie de s'enfuir dans les montagnes. Ou avec qui on vit des intermèdes torrides sous la douche. Et elle avait toujours rêvé d'un homme à qui elle puisse se fier, un homme qui serait toujours là et ne partirait jamais.

— Un sou pour vos pensées, dit John.

— Elles ne valent même pas cela.

Elle n'allait pas envisager quelque chose de sérieux avec Tracker McGuire. Cela ne faisait pas partie du marché. Ils en avaient tous deux accepté les règles, et elle tenait toujours à honorer ses engagements. Quand ce serait terminé, tous deux reprendraient leur route. Aussi ignora-t-elle la douleur qui lui étreignait le cœur pour sourire à John.

— Je relâchais juste un peu la pression. La journée a été assez dure. Je vous autorise à me pincer si je recommence.

— Vous devriez vous faire aider, à la boutique.

Elle l'étudia un moment. Il avait un je-ne-sais-quoi de différent, ce soir. Un soupçon d'énervement, ou d'excitation, affleurait sous sa nonchalance coutumière.

— Quelque chose vous turlupine, n'est-ce pas ?

— Vous êtes très perspicace. Quelque chose m'a effectivement tracassé toute la soirée, mais c'est finalement réglé.

— Qu'était-ce ?

— Oh, rien d'important. J'ai vu quelqu'un, ce soir, qui m'était inconnu et toutefois familier. Et je viens juste de me souvenir de l'endroit où je l'avais déjà rencontré. Quoi qu'il en soit, j'étais venu vous dire que j'ai eu Matt Draper au téléphone, aujourd'hui.

— Si seulement il avait pu venir ce soir, il aurait été l'homme du jour, répondit-elle en souriant. Vous n'imaginez pas le nombre de personnes brusquement intéressées par les objets de céramique que j'ai commandés. Il va falloir que je l'appelle.

Landry but un peu de vin.

— Quand nous discutions, il a parlé de la livraison que vous avez reçue dans la journée, et il se demandait comment vous aviez trouvé le cheval en céramique qu'il vous a envoyé.

Elle sourit.

— Vous pourrez lui dire que je l'ai tellement aimé que je suis montée le déballer là-haut. Non, à bien y réfléchir, je le lui dirai moi-même. Je compte l'appeler demain.

— Je lui en parlerai quand je le reverrai, dit Landry en jetant un coup d'œil à sa montre. Je m'envole demain pour l'Angleterre, et il me reste quelques menus détails à régler.

Sophie le dévisagea.

— Je croyais que vous deviez rester quelque temps ?

Il tourna les yeux vers Tracker, puis la regarda.

— Je l'avais espéré, mais mes projets ont été modifiés, tout comme les vôtres, apparemment. J'en suis désolé, Sophie. J'avais espéré…

Soudain, il se pencha et effleura ses lèvres des siennes.

— Je vous rappelle dès que je reviens à Washington, afin de savoir si rien n'a changé.

Tracker n'avait encore jamais senti son sang entrer aussi vite en ébullition. Seules des années d'entraînement à la maîtrise de soi lui permirent de rester où il était, de continuer à écouter pérorer cette raseuse tout en ne perdant rien de ce que faisait Landry. Le baiser, ce fut la goutte d'eau, celle qui lui rappela la réalité. Sophie et lui n'étaient pas du même monde. Elle était chez elle dans cette réception. Pas lui.

Quand Landry s'éloigna, on eût dit qu'elle avait perdu quelque chose. Et c'était cela qui lui avait fait bouillir le sang. Jalousie, colère, frustration. Nom de nom, c'était encore pire quand tout cela se mêlait à la peur de ne pas pouvoir la protéger. Et il y avait autre chose, aussi. Il voulait effacer cette tristesse de son visage.

— Merde, marmonna-t-il.

— Je vous demande pardon ?

Il dut faire un effort pour reporter son attention sur la grande blonde du service de presse et lui sourire.

— Je vous prie de m'excuser. Je viens tout juste de me souvenir d'un appel urgent à passer.

Même si elle lui tournait le dos, Sophie sut immédiatement que Tracker venait vers elle depuis le fin fond de la salle. La prescience particulière qu'elle avait chaque fois qu'il était à proximité paraissait avoir augmenté depuis qu'ils avaient fait l'amour. Même Chris Chandler avait paru le remarquer. Elle se sentit plus vivante, comme si sa vie passait du noir et blanc à la couleur et elle ne se rappelait pas avoir jamais éprouvé une telle sensation de liberté. Une sensation qu'elle voulait voir durer à jamais.

Alors qu'il se rapprochait, elle pivota sur elle-même et son regard tomba sur sa bouche. Ce fut suffisant pour se rappeler l'impression de cette bouche sur la sienne. Et elle eut envie d'avoir encore une fois ces lèvres sur les siennes, sur sa poitrine, ou sur un endroit plus secret de son anatomie. Elle eut soudain très chaud.

Quand il arriva et referma sa main sur la sienne, elle crut empoigner un tison.

— Viens avec moi.

— Je ne peux pas quitter déjà la réception, réussit-elle à répondre.

Sans jamais la lâcher du regard, il sortit une carte de sa poche et la lui donna.

— Ce n'est pas cela que je te demande.

Elle baissa les yeux, et reconnut le coupon qu'elle lui avait donné un peu plus tôt.

— Ici ? demanda-t-elle, ravalant un hoquet.

— Et maintenant. Ce sont bien les règles que tu m'as expliquées, non ?

Elle jeta un bref coup d'œil alentour. Dieu merci, personne n'écoutait.

— C'est impos…

— Mais si, rétorqua-t-il en lui décochant un sourire de prédateur. Viens.

— Tracker, je…

— Tous les coups sont permis. Tu te souviens ?

Elle ravala tout ce qu'elle aurait pu dire en constatant qu'elle le suivait déjà vers l'autre extrémité du solarium.

— Aurais-tu des réticences quant à notre accord, princesse ? interrogea-t-il, obliquant dans un couloir et ouvrant la première porte.

Des toilettes pour dames. Il la tira à l'intérieur et referma la porte. Il y avait à peine assez de place pour une personne entre le lavabo et le siège. Les mains à sa taille, il la fit pivoter, corps contre corps.

— Je réclame ce qui m'est dû, princesse. A moins que tu ne veuilles faire machine arrière ?

Elle leva aussitôt le menton.

— Je ne renie jamais mes engagements.

Il recula contre la porte.

— En ce cas, ôte ta culotte.

7.

Le corps secoué d'un brusque frisson, elle se pencha et empoigna la soie délicate de sa robe. Du coin de l'œil, elle pouvait voir son reflet dans le long miroir qui recouvrait le mur, au-dessus de la table de toilette. Mais il était bien plus intéressant de regarder Tracker. Il avait le regard fixe et braqué sur l'ourlet qu'elle remontait, centimètre après centimètre, sur ses cuisses. Elle put même voir sa mâchoire se contracter quand elle eut enfin la robe remontée jusqu'à la taille. Son propre souffle lui manqua quand elle glissa les doigts sous l'élastique de sa petite culotte.

— Il était bien marqué *récré,* sur la carte, non ? dit-il d'une voix tendue.

— Vraiment ? Est-ce que je fais mal quelque chose ?

A en juger par ses yeux et la tension de son corps, elle faisait tout bien, au contraire. L'intensité de sa réaction était en soi source d'excitation. Lentement, elle entreprit de baisser peu à peu le fin vêtement sur ses hanches, puis le long de ses jambes. Sur la gorge de Tracker, une veine se mit à battre et elle sentit son propre sang se mettre de la partie.

Il attendit qu'elle ait enlevé son slip pour faire un geste. Pour glisser les mains sous le bord de sa robe et la remonter encore, puis empoigner ses hanches dans le même mouvement. Dès qu'il l'eut soulevée et plaquée au mur, elle enroula ses jambes autour de lui et fit tout pour l'attirer plus près.

— Chut, lui souffla-t-il à l'oreille.

Son intonation la fit se figer. Alors, elle l'entendit, ce cliquetis de talons sur le parquet. Aucun des deux ne respira tant que les pas se rapprochaient. Puis ils s'éloignèrent.

Tracker recula. Et les yeux dans les siens, il demanda :

— Tu veux arrêter ?

— Non. Je… ce que j'aimerais bien essayer, c'est ce ruban noir.

Il ouvrit grand les yeux.

Elle l'avait choqué, et cette constatation l'excita.

— Tu avais bien dit qu'on pourrait y arriver…

— Tu veux essayer *ici ?*

— Tous les coups sont permis.

Elle crut que son cœur allait jaillir hors de sa poitrine quand il la reposa par terre. Mais il était hors de question de reculer maintenant. En le voyant déboucler sa ceinture et déboutonner sa braguette, elle farfouilla gauchement dans son sac à la recherche du fameux ruban. Sans même savoir pourquoi elle l'avait apporté. Car, non, elle ne pouvait décemment pas avoir envisagé de s'en servir lors de la réception de Mme Langford-Hughes.

En le voyant baisser son caleçon, elle eut soudain la gorge sèche, et sa main se tendit d'elle-même vers lui. Mais il lui prit doucement le poignet.

— On jouera aux dés plus tard, princesse, lui dit-il à mi-voix. Quelqu'un pourrait venir.

Puis il porta sa main à ses lèvres.

— On va y aller doucement… pour commencer. Si jamais tu veux arrêter, tu me le dis, d'accord ?

Arrêter ? Elle allait mourir s'il ne *commençait* pas !

Il se baissa sur le siège des toilettes et l'attira sur lui. Folle d'excitation, elle sentit son érection battre contre elle, chaude et insistante. Alors qu'elle tentait de s'en rapprocher, il glissa un doigt en elle, puis le retira.

Un éclair de plaisir la traversa alors, si intense qu'elle fut à deux doigts de crier. Mais elle voulait davantage.

— Chut, dit-il de nouveau, contre son oreille. Il ne faut faire aucun bruit.

Il referma les mains sur sa taille et la souleva enfin. Puis son pénis érigé la pénétra. Juste un peu. Juste assez pour lui donner envie de hurler son désir.

— Ne me provoque pas, protesta-t-elle, haletante. S'il te plaît.

— Penche-toi et agrippe le bord du lavabo.

Elle fit ainsi qu'il le lui disait, et le sentit se glisser un peu plus loin en elle. Le ruban. Que fallait-il faire avec ? Elle s'efforça de revoir le schéma. Il fallait l'enrouler autour de lui.

— Attends.

Il se figea aussitôt, et elle faillit crier de protestation.

— Tu veux que j'arrête ? murmura-t-il.

— Non. C'est juste que je ne me souviens plus de ce qu'il faut faire avec le ruban. Laisse-moi y réfléchir une minute.

— Regarde dans le miroir, princesse.

Toute idée de ruban disparut quand elle vit ce qui s'y reflétait. Il était assis derrière elle, le regard fixe et si brûlant que ce devait être lui qui avait provoqué les flammes qui la dévoraient actuellement. Quant à la femme, elle ne la reconnut même pas. On eut dit une libertine, séduisante et affamée.

— Je rêve de te prendre comme ça depuis que tu m'as fait lire les instructions de ce ruban.

— Mais le ruban…

— On s'en fiche du ruban.

Il fit courir sa bouche sur son cou, son épaule. Et en le voyant faire dans le miroir, elle crut mourir.

— Je vais te prendre, maintenant.

Elle sentit ses dents s'enfoncer dans son épaule, puis son sexe s'enfoncer en elle, plus loin qu'il ne l'avait jamais été. L'angle et l'orientation si différents furent sources de sensations divinement différentes. Elle avait à peine eu le temps d'absorber cette onde de plaisir incroyable qu'il se retira et plongea de nouveau en elle.

Quand elle voulut onduler contre lui, il la retint.

— On y va tout doux, princesse. Je ne voudrais pas te faire mal.

— Tu ne peux pas me faire mal, répondit-elle, le souffle court.

De toute façon, elle se fichait qu'il lui fasse mal. Elle voulait juste qu'il continue, qu'il fasse tout pour apaiser l'incommensurable pression qui avait déjà commencé à monter en elle.

Puis il le fit enfin, lentement au début. A chaque coup de rein, il s'enfonçait plus profondément en elle, et chaque fois qu'il se retirait, elle s'efforçait de le retenir.

Et pendant tout ce temps, elle put les regarder batailler dans le miroir. Elle put voir leurs corps s'unir, se désunir. Mais ce ne fut pas assez. Elle en voulait plus, bien plus. Et au moment où elle pensa mourir de désir inassouvi, il déplaça sa main, la posa juste où il fallait entre ses cuisses et entreprit d'accélérer et d'intensifier ses coups de reins.

L'orgasme monta en elle, semblable à une lame de fond, menaçant de l'emporter si loin qu'elle tendit la main en arrière et agrippa son bras avant de se laisser aller.

— Jouis avec moi, Tracker. Tout de suite.

Il se poussa plus fort en elle et, alors que le monde se mettait à tournoyer, elle le sentit frémir et palpiter en elle.

Tout d'abord, Tracker crut que c'était son cœur qu'il entendait. Mais son cœur s'arrêta subitement de battre, et une voix de femme retentit :

— Il y a quelqu'un, là-dedans ?

Depuis combien de temps frappait-elle ? S'efforçant de rassembler ses idées, il constata, stupéfait, qu'il berçait Sophie sur ses genoux, sans même savoir comment elle était arrivée dans cette position ni depuis combien de temps ils se trouvaient ainsi. Il avait le corps parcouru de frissons et le souffle encore court. Et tout son être refusait d'obéir aux ordres venus de son cerveau.

Depuis l'instant où il lui avait ordonné d'enlever sa petite culotte, le désir avait crû en lui jusqu'à ce qu'il devienne douloureusement intenable. La dernière pensée rationnelle qui l'avait effleuré avait été de proposer d'arrêter. C'est alors qu'elle s'était mise à délirer sur ce ruban. Et puis la perspective de la prendre comme ça lui avait court-circuité les neurones.

A présent, elle avait la tête nichée contre son épaule, et elle le tenait comme si elle ne voulait plus jamais le lâcher. Et le pouvoir qu'elle exerçait sur lui était si grand que lui non plus, il ne voulait plus la lâcher.

On tambourina encore contre la porte.

Il prit une profonde inspiration.

— Deux minutes, s'il vous plaît.

Sophie leva la tête juste assez pour lui souffler à l'oreille :

— On se fait prendre tous les deux la culotte autour des chevilles.

Il sentit le rire le gagner, et eut un mal fou à le réprimer. Quand il y parvint, il découvrit le regard moqueur de Sophie braqué sur lui. Une autre aurait été gênée, et peut-être même furieuse. Elle ne cesserait jamais de l'étonner.

— Que va-t-on faire ? articula-t-elle.

Il se pencha et lui mordilla l'oreille.

— Tu veux du rab ?

Puis il étouffa prestement son éclat de rire sous sa bouche. Un seul baiser suffit à ranimer son désir. Incroyable. Est-ce que ce serait toujours ainsi ? Il mit un terme au baiser et planta son regard dans le sien. Elle avait l'air aussi étonnée, aussi excitée que lui.

— On ferait mieux de se rhabiller, lui murmura-t-il en la remettant debout.

Puis il remonta son caleçon, son pantalon et, en se penchant pour ramasser sa petite culotte, il récupéra le coupon par terre et le lui tendit.

— A ton tour.

Avec un sourire, elle le fourra dans son soutien-gorge avant de s'affairer à remettre sa robe en place.

Il réprima un grognement et lui immobilisa les mains.

— Voilà la cause de cette inconfortable position.

— Tu ne suggères tout de même pas que je sorte sans ma petite culotte ?

— Aussi alléchant que cela paraisse, je veux juste que tu attendes que je sois sorti.

Pour la première fois, elle hésita.

— Mais cette femme…

Il lui pressa les mains et cligna de l'œil.

— Fais-moi confiance, princesse.

Les mains sur ses épaules, il la fit pivoter et inversa leurs positions. Puis il la poussa gentiment dans le coin, entre la cuvette et la porte.

— Dès que je referme la porte, tourne le verrou sans bruit.

Elle fit exactement ce qu'il avait dit.

— Désolé, l'entendit-elle dire à travers le panneau. On ne m'avait rien dit pour les fruits de mer sur les canapés.

— Ce n'est pas un problème, répondit la femme, sans la plus petite trace d'impatience, contrairement à tout à l'heure. Est-ce que ça va aller ?

— Comme sur des roulettes.

Puis elle vit tourner la poignée et entendit cliqueter la serrure.

— C'est fermé, reprit la femme en agitant de nouveau la poignée.

— Attendez. Laissez-moi faire, dit Tracker.

La poignée tourna encore.

— Vous avez raison, c'est bloqué. Bizarre, je viens juste d'en sortir.

Il avait un tel étonnement dans la voix que Sophie dut se plaquer la main sur la bouche pour ne pas rire.

— Mais que vais-je faire, maintenant ? s'enquit la femme.

— Inutile de vous inquiéter. Dans une demeure de cette taille, il doit y avoir d'autres endroits de ce style. Je vais vous aider à en trouver un.

Alors que les pas s'éloignaient, Sophie se dégagea du coin où l'avait poussée Tracker. Elle lui devait un fier service. Tout en baissant les yeux vers sa petite culotte et le ruban qu'elle avait toujours en main, elle laissa enfin échapper le gloussement qu'elle retenait. Maintenant qu'elle savait que la position indiquée sur le schéma était non seulement réalisable mais également incroyable, elle allait travailler sa technique avec le ruban. Après l'avoir fourré dans son sac, elle s'étudia dans le miroir.

Elle n'était plus la même femme que vingt-quatre heures plus tôt. Jamais encore elle ne s'était enfermée avec un homme dans des toilettes. Et jusqu'à aujourd'hui, jamais elle n'aurait cru Tracker McGuire capable de le faire non plus. Il était très différent de l'homme qui avait hanté ses rêves depuis un an. Encore meilleur amant qu'elle ne l'avait imaginé. Et en plus, il était drôle ! Quant à elle, elle ne s'attendait certainement pas à ce que celui qui l'avait tant agacée sache provoquer en elle de telles explosions de plaisir.

Tout en se tortillant sur place pour remonter sa petite culotte, elle continua à s'étudier dans le miroir. Grâce à Tracker, elle découvrait des aspects d'elle-même qu'elle ne soupçonnait même pas. Oh, elle avait toujours aimé le sexe, mais jamais elle n'en avait eu envie avec une telle intensité. Jamais elle n'avait eu envie de taquiner et de cajoler un homme autant que lui. Tout comme elle n'aurait jamais pensé avoir des tendances exhibitionnistes, mais il fallait bien reconnaître qu'observer sa réaction quand elle avait enlevé sa petite culotte l'avait incroyablement excitée. Le simple fait d'y penser fit renaître le désir en elle.

Mais il fut accompagné d'une pointe d'inquiétude. Comment pourrait-elle le laisser partir quand leur aventure serait terminée ?

Jamais il n'avait vu une femme travailler aussi dur, songea Tracker. Depuis qu'elle avait émergé des toilettes, il y avait un peu plus d'une heure, Sophie avait réussi à faire le tour complet du solarium, et il commençait à se dire que son travail comptait autant pour elle que le sien pour lui. Et lui, il n'avait pas été loin de bousiller le sien.

Mais qu'avait-il dans la tête quand il lui avait tendu le coupon et l'avait entraînée dans les toilettes ? Non, la vraie question, c'était de savoir avec *quoi* il avait pensé à ce moment-là. Certainement pas avec sa tête. Si jamais on les avait découverts, cela aurait pu ruiner la réputation commerciale qu'elle avait tant travaillé à construire. Et lui-même avait eu la négligence de la laisser seule le temps de se débarrasser de la femme.

Il laissa son regard revenir sur Sophie, debout de l'autre côté de la salle. Il y avait bien plus que de la distance entre eux. Il ferait bien mieux de se dire qu'il avait pour travail de la protéger, et de ne penser qu'à cela.

Soudain, la sonnerie de son téléphone cellulaire retentit. Avant de décrocher, il s'éloigna vers le patio. Nul n'avait son numéro, sauf Lucas et les membres de son équipe chez Wainright & Co, et ils ne l'appelaient qu'en cas d'urgence absolue.

— Tracker, dit-il en décrochant.

— On vient de recevoir un appel de la police, patron, l'informa son homme de garde. Un inspecteur Ramsey dit qu'il y a eu un cambriolage à Antiquités, et que l'alarme ne s'est pas déclenchée.

— Quand ? demanda-t-il, l'esprit déjà en mouvement.

— Je l'ignore. Il n'a rien dit d'autre et veut juste que Mme Wainright le rappelle.

Tracker sentit son estomac se nouer. Comme Mac et Lucas avaient eu affaire à l'inspecteur Ramsey, l'année précédente, il avait pris des renseignements sur lui. Ramsey travaillait dans l'unité de la police de Washington spécialisée dans les disparitions de personnalités et les homicides.

— Rappelle-le et dis-lui qu'elle arrive.

— O.K.

Il fourra son portable dans sa poche et alla vers elle, bien décidée à ne la laisser parler à Ramsey qu'en sa présence.

Un cambriolage… Sophie essayait encore de se faire à l'idée quand Tracker engagea la voiture dans l'allée, derrière le magasin. Pourtant, il n'y en avait pas eu un seul dans Prospect Street depuis qu'elle s'y était installée. Et son système d'alarme, installé par l'équipe de sécurité de la Wainright & Co, était régulièrement vérifié.

En sortant du garage avec Tracker, elle lui jeta un regard en coin. Il avait la mine fermée, mais il lui tenait cependant la main. Simple geste, mais qui l'avait aidée à conserver son calme.

Elle s'arrêta net en découvrant un homme et une femme près de la porte de service grande ouverte. L'homme avait les tempes grises et portait un pantalon kaki et une chemise à manches courtes. La femme avait rassemblé ses cheveux roux en une tresse et son tailleur provenait visiblement de chez un grand couturier.

— Lequel de vous est l'inspecteur Ramsey ? demanda Sophie.

— C'est moi, répondit l'homme. Et voici ma collègue, Natalie Gibbs.

— Mon magasin a été cambriolé ?

L'inspecteur Ramsey sortit un carnet et un stylo.

— Pas exactement.

— Vous avez annoncé un cambriolage à mon équipe, intervint Tracker.

— Et vous êtes ? Un parent ? Un ami ?

— Tracker McGuire, responsable de la sécurité de la Wainright & Co. Je veille sur Mme Wainright en l'absence de son frère. Pourriez-vous nous dire ce qui se passe ?

Ramsey poussa un soupir.

— Nous voulions joindre Mme Wainright au plus vite, aussi avons-nous donné une version abrégée à votre équipe. La réalité est un peu plus compliquée, expliqua-t-il, avant de faire face à Sophie. Quelqu'un s'est introduit chez vous, ce soir, quelqu'un d'assez doué pour contourner l'alarme sans la couper. Une employée du marchand de glace, un peu plus loin dans la rue, nous a signalé un cambriolage possible vers 21 h 30, car elle croyait avoir vu une lumière se déplacer au premier étage. En arrivant, environ dix minutes plus tard, la patrouille a trouvé la porte arrière grande ouverte.

Sophie voulut entrer.

— Il faut que je sache ce qui a été volé.

Natalie Gibbs lui coupa prestement la route.

— C'est mon magasin. J'ai le droit d'y entrer.

— Dans un instant, je vous prie, dit Ramsey. D'abord, je dois savoir où vous étiez, ce soir, entre 19 heures et 22 heures.

Un frisson glacé parcourut Sophie. Elle tourna la tête vers Tracker. Celui-ci ne quittait pas Ramsey du regard.

— J'assistais à une réception donnée par Mme Langford-Hughes, et j'en suis partie peu après avoir reçu un appel du service de sécurité de la Wainright & Co, il y a une vingtaine de minutes.

— Je peux confirmer tout ceci, Ramsey, intervint Tracker. Comme le pourront Millie Langford-Hughes et bon nombre de ses invités. Je n'ai pas lâché Mme Wainright des yeux plus de cinq minutes.

— Puis-je entrer chez moi, à présent ?

Trois personnes sortirent de la porte arrière à l'instant même où elle disait cela. L'une portait un appareil photo, l'autre ce qui semblait être un énorme attaché-case. La troisième s'adressa à l'inspecteur Ramsey :

— On a terminé. Le bureau du coroner devrait arriver sous peu pour emporter le corps.

— Le corps ? s'écria Sophie, saisie de panique. De qui s'agit-il ? Noah ?

Elle ne s'était même pas rendu compte qu'elle avait saisi la main de Tracker. Il la referma sur la sienne.

— Nous ignorons de qui il s'agit, madame. Aucun papier n'a permis d'identifier le corps. Qui est Noah ?

— Mon assistant, répondit-elle, en relâchant un peu la pression qu'elle exerçait sur la main de Tracker. Il prépare son doctorat et travaille à mi-temps chez moi, depuis l'ouverture. Il a le code pour passer au travers du système d'alarme.

— La victime est de sexe masculin. Nous espérions que vous pourriez nous dire qui il est.

— Oui, bien sûr, répondit Sophie, sentant brusquement ses genoux se dérober sous elle à la pensée que Noah était peut-être étendu, mort, un peu plus loin.

— Je peux y aller, Sophie. Tu n'as qu'à rester avec l'inspecteur Gibbs, proposa Tracker.

— Non, non, j'y vais, reprit-elle en secouant la tête.

Cela allait être dur, elle le savait. Mais en montant l'escalier, à la suite des policiers, elle comprit qu'elle n'en aurait pas été capable sans la main de Tracker qui tenait la sienne. Elle avait déjà l'impression d'avancer au ralenti.

L'inspecteur Gibbs les précéda dans la première pièce sur la gauche. Et si Sophie pensait s'être armée de courage, en apercevant la forme inerte allongée par terre, elle comprit que rien ne pouvait préparer à cela. Les détails s'imprimèrent dans son esprit comme autant d'instantanés projetés sur un écran blanc : le corps, face contre terre, un bras relevé au-dessus de la tête, l'autre contre lui… le contraste entre les cheveux blonds et le sang rouge brun. Elle comprit que ce n'était pas Noah avant même que l'inspecteur Ramsey ne retourne le cadavre. Mais son soulagement fut de très courte durée.

L'homme étendu sur le sol de sa boutique n'était autre que John Landry.

8.

A 23 heures, la salle des inspecteurs du commissariat ressemblait à une ruche, constata Tracker en l'observant à travers la cloison vitrée de la salle de conférences. On interrogeait des témoins, des malfrats, les machines à écrire cliquetaient et, plus loin, il apercevait Sophie dans une pièce similaire à la sienne, s'entretenant avec l'inspecteur Gibbs.

Pour l'instant, il poireautait pendant que l'inspecteur Ramsey passait quelques coups de téléphone. Lui-même en avait passé un sur son portable, à Chance. Mais il avait dû se contenter de laisser un message. Celui qui avait abattu Landry avait-il récupéré la pièce ? C'était la question du jour. Aucun des objets arrivés dans la journée n'avait disparu, il s'en était lui-même assuré.

Lorsque Ramsey les avait invités à le suivre au commissariat, il avait accepté, car cela lui laissait un peu de temps pour respirer. Pour prévoir ce qu'il ferait quand Sophie comprendrait ce qu'il faisait chez elle et dans son lit.

Déjà, les questions de Gibbs, en ce moment, lui mettaient peut-être la puce à l'oreille. Et elle avait l'esprit vif. Un tempérament de feu. Une fois qu'elle aurait compris, il ne savait absolument pas ce qu'elle ferait, à part ne plus vouloir le voir.

Une peur glacée lui noua soudain le ventre. Car, dès l'instant où il avait vu Landry, gisant dans la pièce du haut, il avait imaginé Sophie à sa place. Ça aurait pu être elle, songea-t-il en se passant la main dans les cheveux, comme pour effacer cette image atroce. Si Sophie le repoussait…

Nom de nom. Si seulement il pouvait flanquer un coup de pied à n'importe quoi. Lui, pour commencer. Lui qui laissait ses émotions l'empêcher de réfléchir sainement.

Bien. Eviter que Sophie lui embrouille davantage les idées en désignant un de ses hommes pour la protéger. Oui, mais Chance avait bien prévenu de ne rien faire qui puisse éveiller les soupçons. Lui-même avait déjà bâti sa couverture d'amant de la dame. Moralité : il fallait coller au scénario, ce qui restait la plus sûre option pour le moment.

Il faudrait juste garder l'esprit clair et coller aux faits. John Landry était mort dans une des pièces du haut de la boutique, tué d'une balle dans la tête. Aucun signe de lutte. Tir net et précis de professionnel. Et Landry avait pénétré là où il était mort, en arrêtant le système d'alarme, comme il avait pu le vérifier avant de venir ici.

Il leva les yeux en entendant Ramsey revenir.

— J'ai effectué quelques recherches à votre propos, monsieur McGuire, dit l'inspecteur en posant un dossier sur la table. Et j'ai monté ce dossier l'an dernier, quand nous pensions que Mme Lloyd avait disparu. Voulez-vous y jeter un coup d'œil ?

— Pourquoi ne pas me dire de quoi il s'agit ? répondit Tracker, regardant successivement le dossier et Ramsey.

— Je sais que Lucas Wainright et vous-même avez travaillé clandestinement dans certains coins chauds du globe, et que vos états de service sont classés « confidentiel ». Je sais également que M. Wainright vous confierait la vie de sa femme comme celle de sa sœur. Je sais aussi que Landry sortait régulièrement avec Sophie Wainright depuis deux semaines, mais que c'est avec vous qu'elle s'est rendue à la réception de ce soir. Selon elle, vous avez passé la nuit dernière chez elle et ne l'avez pas quittée de la journée.

Il marqua une pause et croisa les mains sur la table.

— Tout cela me suggère qu'il a dû se passer quelque chose pour que Mme Wainright flanque Landry à la porte et le remplace, du jour au lendemain, par le chef de la sécurité de la Wainright & Co. J'aimerais donc que vous me disiez tout ce que vous savez sur la mort de ce John Landry.

— Je ne sais absolument rien à ce sujet, répondit Tracker en plantant son regard dans le sien.

Ramsey eut un sourire amer.

— Permettez-moi, en ce cas, de reformuler ma question. Que soupçonnez-vous ? Et si cette question ne vous convient pas non plus, vous pouvez toujours commencer par la raison pour laquelle vous assurez la protection de Mme Wainright.

Tracker étudia un instant l'inspecteur, dont Mac et Lucas lui avaient dit le plus grand bien. Abstraction faite de la chemise chiffonnée, l'homme avait le regard intelligent, et il n'avait pas fait semblant de vérifier le passé, s'il avait exhumé leur passé militaire commun, à Lucas et à lui. Combien suffirait à son bonheur ? Au bout d'un moment, il décida de lui dire le maximum qu'il pouvait. Avoir Ramsey dans la manche pourrait se révéler payant un jour ou l'autre.

— Il y a certains éléments que je dois garder pour moi, car ils concernent des agents travaillant dans la clandestinité. Ce que je peux vous dire, c'est que le magasin de Sophie est sous la surveillance de deux ou trois agences gouvernementales et autant de compagnies d'assurances. En effet, il a été repéré comme l'un des quelques lieux stratégiques utilisés par un réseau très complexe et très influent de contrebande pour importer des pièces de monnaie volées. Trois pièces découvertes en Turquie, et dérobées lors d'une exposition à Londres. Sophie n'a rien à voir dans le trafic, mais elle court un danger potentiel.

— C'est donc là que vous entrez en scène, commenta Ramsey, avant de battre la mesure sur la table avec son stylo.

— Elle ignore tout de cette histoire.

Le stylo se figea.

— Qui vous a mis au courant ?

— L'un des agents que je ne peux nommer. Selon lui, ils sont très près de coincer la tête du trafic, et il est impératif que l'activité se poursuive comme à l'accoutumée dans la boutique de Sophie. Le propriétaire d'un commerce similaire, dans le Connecticut, a été retrouvé mort dans l'incendie de son magasin, il y a environ deux mois. Il y a six semaines, une femme ayant acheté quelque chose chez Sophie a été écrasée par un chauffard.

— Gibbs et moi travaillons sur cette enquête, fit remarquer Ramsey, se calant contre le dossier de sa chaise. Selon vous, cela aurait un rapport ?

— D'après ce qu'on m'a dit, elle était en route pour rencontrer le grand manitou. Difficile de croire à une coïncidence.

— Landry était-il un des fameux agents dont vous avez parlé ?

— Bonne question.

L'inspecteur était vraiment un homme intelligent, et Tracker s'en voulut de ne pas s'être posé cette question plus tôt.

— L'autre possibilité serait qu'il ait fait partie de l'équipe adverse. Landry est originaire d'un milieu aisé, l'aristocratie terrienne, et il s'est lancé en dilettante dans le commerce d'antiquités. Il recherche des objets particuliers, pour des clients fortunés.

— Ce qui ferait une excellente couverture, de quelque côté de la loi qu'il se place, fit remarquer Ramsey. Et vous dites que Mme Wainright ne sait rien de tout ce que vous avez appris ?

— Non. J'ai pensé que cela vaudrait mieux pour sa sécurité. Elle est très susceptible… et n'aime pas être protégée.

— Je vois, dit Ramsey en l'étudiant attentivement. Combien de temps, avant de pouvoir coincer les trafiquants ?

— Une livraison est arrivée aujourd'hui, contenant en principe l'une des pièces. Nous attendons que quelqu'un bouge.

— J'ai comme l'impression que c'est fait. Est-ce qu'on l'a prise, ce soir ?

— Aucun des objets arrivés n'a été dérobé. Je devrais bientôt en savoir plus.

— Donc, reprit Ramsey au bout d'un instant, Mme Wainright ne sait pas que vous la protégez. Vous jouez un jeu très dangereux, ne trouvez-vous pas ?

— Si. Mais pour le moment, c'est le meilleur moyen que j'ai trouvé pour la protéger. J'aimerais bien continuer.

— D'accord. Elle ne saura rien de moi pour l'instant. Mais mon travail, c'est d'élucider deux homicides.

— Je vous donnerai tous les éléments possibles dès que nous aurons coincé ce salaud, acquiesça Tracker.

Ramsey lui tendit une carte.

— Je pensais davantage en termes de coopération. Avertissez-moi dès que vous avez besoin de mon aide.

Tracker se tourna vers le lieu où on interrogeait Sophie.

— L'inspecteur Gibbs est-elle une bonne policière ?

— Parmi les meilleures. Nous faisons équipe depuis deux ans.

Tracker ramena son regard vers l'inspecteur.

— Si Mme Wainright décide qu'elle ne veut plus de mes services vingt-quatre heures sur vingt-quatre, sept jours sur sept, j'aurai peut-être du travail pour elle.

L'inspecteur Gibbs garda Sophie encore une demi-heure. En l'attendant, Tracker fit les cent pas devant l'ascenseur en réfléchissant. Oh, il pouvait bien se dire qu'il n'aurait pas dû coucher avec elle, il n'arrivait pas à le regretter. Non, ce qu'il regretterait, ce serait de ne plus le faire, de ne plus pouvoir la toucher, la serrer contre lui.

— Tracker.

Il pivota lentement au son de sa voix. Elle avançait vers lui et, en voyant son regard, il comprit qu'il avait un répit. Elle n'allait pas le flanquer tout de suite dehors.

— Tu veux bien me serrer contre toi ?

Il avait déjà ouvert les bras, et quand elle vint s'y nicher, il les referma sur elle. La peur qui l'avait étreint devant le cadavre de Landry laissa peu à peu la place à un flot d'émotions.

— Excuse-moi, marmonna-t-elle, se serrant plus fort contre lui. Je ne peux pas m'en empêcher. Tu comprends, je venais de lui parler, à la réception. Il m'avait fait la bise pour me dire au revoir, parce qu'il repartait à Londres, demain. Et maintenant, il est…

Tracker lui caressa les cheveux.

— Je regrette que tu aies dû le voir.

— Je déteste être comme ça, murmura-t-elle, mais sans écarter sa joue de sa poitrine.

— Etre comment ?

— Aussi faible, aussi crampon.

— Tu en as tout à fait le droit.

— Mais ça n'a jamais rien résolu. C'est juste que…

— Que quoi ?

— J'en avais besoin. Même quand tu avais déterré toute cette boue sur ce salaud de Bradley et que je te détestais d'avoir fait ça, je m'étais sentie mieux quand tu m'avais tenue dans tes bras.

Une foule de sensations envahit Tracker, et il se souvint que lui aussi, il s'était senti mieux. Et il savait pourquoi. Ce qu'il avait ressenti ce jour-là, ce qu'il ressentait en ce moment même, c'était l'impression d'être chez lui. Non qu'il ait jamais eu un vrai foyer, mais c'était comme cela qu'il avait toujours imaginé l'effet que cela ferait. Cette chaleur, cette compréhension, cette acceptation.

— J'ai envie de t'emmener loin de tout ceci, dit-il, avant même d'avoir pris conscience de ce qu'il disait.

Elle se raidit dans ses bras, et s'écarta.

— Je te laisserais bien faire, mais l'inspecteur Gibbs m'a demandé de dresser un inventaire plus minutieux de mes objets, afin d'être sûre que rien ne manque. Et elle dit qu'ils auront peut-être encore besoin de moi.

Tracker se rembrunit.

— Tu n'es pas suspecte. Ils ne peuvent pas t'obliger à rester à leur disposition.

— Non, mais je tiens à faire tout mon possible pour les aider à découvrir qui a tué John. C'était un type bien, et il a été abattu chez moi. Ce qui me chiffonne un peu, c'est qu'il ait bricolé mon système de sécurité. Comme ils ne soupçonnent ni Noah ni moi de l'avoir fait entrer, comment a-t-il pu faire cela ?

— N'importe quel système peut être désactivé, si on a la technique.

Ce qu'il n'ajouta pas, c'est qu'il fallait le talent, mais aussi les outils appropriés.

— De toute façon, ils comptent interroger Noah.

— C'est la routine policière.

— Je voudrais que tu me rendes un service, dit Sophie après avoir longuement inspiré. Pourrais-tu m'aider à découvrir qui a tiré sur John ?

— Princesse, l'inspecteur Ramsey est un as dans sa partie. Mac et Lucas te le confirmeront.

— Il n'est pas *toi*. Il ne dirige pas le service de sécurité de la Wainright & Co, il ne dispose pas d'une équipe de sécurité au complet. Je me suis dit qu'on pourrait retourner à la boutique, et que pendant que je dresse un inventaire pour l'inspecteur Gibbs, tu pourrais rechercher des indices.

Il se voyait mal lui dire qu'il l'avait déjà fait.

— Tu es certaine de vouloir y retourner cette nuit ?

Elle se raidit encore une fois.

— C'est mon magasin. Je t'en prie, il faut que je le fasse. Me donneras-tu un coup de main ?

Il posa son front contre le sien.

— Tes désirs sont des ordres, princesse… à une condition.

— Une condition ? répéta-t-elle, un sourcil levé. Je ne pense pas que l'on puisse imposer des conditions à une princesse.

Tracker ne put que sourire, et un peu de la tension qui l'habitait se dissipa.

— Et si cette condition incluait des pénalités ?

Elle lui décocha alors le premier sourire depuis qu'ils avaient reçu cet appel, ce soir. Et il sentit son cœur faire la cabriole.

— Des pénalités ? Voyez-vous ça.

— Seulement si tu acceptes cette condition, bien entendu. Si tu veux mon aide, il va te falloir coopérer. Une fois terminé l'inventaire de ta boutique, nous allons dans l'appartement que j'occupe dans le bâtiment de la Wainright & Co. Je pense qu'une bonne nuit de sommeil nous fera le plus grand bien.

— De sommeil ? Si tu comptes dormir cette nuit, il va vraiment y avoir des pénalités.

— Mais j'y compte bien, princesse. J'y compte bien.

— Que penses-tu des oignons, du persil et du fromage quand ils font connaissance dans une omelette ?

Sophie grimpa sur un tabouret, face à Tracker. Posté sur le comptoir, Chester inspectait déjà d'une narine frémissante les ingrédients qu'il venait de sortir du réfrigérateur. La cuisine était aussi petite que la sienne, mais en revanche, elle disposait des dernières nouveautés technologiques.

— Je n'en pense que du bien.

Le sourire arriva alors, lent et chaleureux.

— Voilà qui nous fait au moins un point en commun, princesse.

Ces mots réchauffèrent le cœur de Sophie. Il y avait encore quelques jours, elle n'aurait jamais cru qu'ils puissent avoir quelque chose en commun. Pas plus qu'elle n'aurait cru pouvoir se sentir aussi détendue, assise dans *sa* cuisine. Il y avait un je-ne-sais-quoi de rassurant dans sa manière rapide et compétente de réunir sur le comptoir tous les ustensiles dont il avait besoin. Cela lui rappela aussitôt la manière dont il avait pris les choses en main dans les toilettes, ce soir.

Le rose aux joues, elle arrêta son regard sur ses mains, occupées à couper, émincer et jeter les ingrédients dans un poêlon chaud. Il lui suffisait de regarder ces doigts effilés pour les imaginer sur elle, sur sa peau, en elle.

— Allô, la lune ? Ici la terre.

— Hum ? fit-elle, surprise.

— Des piments rouges dans l'omelette ?

— Chiche !

Elle ne savait pas trop pourquoi, mais elle avait le sentiment qu'avec lui, elle serait chiche pour beaucoup de choses. Et elle n'imaginait même pas essayer le truc du ruban noir avec quelqu'un d'autre. Et lui, il avait été tellement emballé par l'idée. Si patient, aussi, quand elle avait complètement oublié ce qu'elle devait faire. Et si talentueux, surtout. Un éclair de plaisir la traversa au souvenir de ce qu'il lui avait fait, de ce qu'elle avait éprouvé. Elle le savait, qu'il serait un fabuleux amant, mais jamais elle n'aurait cru qu'il pouvait être aussi impulsif, aussi joueur.

Bien sûr, jamais elle ne l'avait imaginé en train de battre des œufs dans une cuisine. Pas plus qu'elle n'aurait songé qu'il était si… normal de le regarder faire. Soudain, elle comprit qu'elle se sentait davantage chez elle ici que dans n'importe laquelle des résidences Wainright, et un frisson de peur lui parcourut le dos. Toute sa vie, les gens qu'elle aimait l'avaient abandonnée. Il allait falloir se préparer à ce que lui aussi la quitte.

A moins qu'elle n'arrive à l'arrêter avant.

La princesse réfléchissait. Tracker le comprit en voyant la fine ride qui se forma au milieu de son front. Cette réflexion conduirait à l'inquiétude, puis aux interrogations. D'un geste vif du poignet, il replia l'omelette.

La dernière chose qu'il voulait la voir faire, c'était bien de commencer à réfléchir sur ce qui avait pu se passer dans sa boutique pour aboutir à la mort de Landry. Il voulait la voir rire et penser uniquement à lui.

Il la voulait, point. Sa faim d'elle était constante, et il commençait à craindre qu'elle ne cesse jamais. S'il ne faisait pas quelque chose pour leur changer les idées, à tous les deux, il allait oublier cette fichue omelette et la prendre là, tout de suite. Il en fit glisser la moitié dans une assiette et la posa sur le bar, devant elle.

— Mange, d'abord. Et puis on jouera au jeu des vingt questions.

— D'accord, dit-elle, saisissant la fourchette qu'il lui tendait et la plantant dans ses œufs.

Il la regarda mastiquer, avaler, puis lever de yeux étonnés vers lui.

— Mais c'est fameux ! Tu connais le métier, n'est-ce pas ? Je suis certaine que tu as gagné ta vie en faisant la cuisine, dans ta jeunesse.

Il sourit.

— Bravo. Si jamais le commerce te fatigue un jour, j'aurai du travail pour toi à la sécurité de la Wainright & Co.

— Sans façon, merci. Mais j'ai raison, n'est-ce pas ?

— J'ai travaillé dans un fast-food pour payer mes études à l'université.

— Ce que je déguste n'a rien à voir avec la nourriture des fast-food, dit-elle, savourant une nouvelle bouchée. Mais bon, venons-en au jeu.

— Thomas Jefferson McGuire.

— Pardon ?

— On a commencé ce jeu à la soirée d'anniversaire, et je me suis dit qu'on pourrait reprendre là où on avait arrêté. T. J. signifie Thomas Jefferson.

— On t'a donné pour prénom un nom de président ?

Il secoua la tête.

— Non, c'était le nom de mon père. Je l'ai fait légalement modifier en T. J. dès que j'ai pu, car je le détestais.

— Je suis désolée, dit-elle en glissant sa main dans la sienne et en la serrant fort.

Il n'y avait, dans ses yeux, pas trace de jugement, seulement de la compréhension. Au fond de lui, il sentit quelque chose se dissoudre et disparaître.

— Il battait ma mère. C'est à cause de lui qu'elle est morte. J'avais onze ans.

Allons bon, mais d'où étaient sortis ces mots ? Même à Lucas, il n'avait jamais rien dit de cet épisode de son passé. Sophie abattait jusqu'à ses dernières barrières.

Elle posa une main sur sa joue.

— A ton tour, maintenant. Demande-moi ce que tu veux.

— De nouvelles règles, princesse ?

Elle hocha la tête.

— Nouveau jeu. Juste pour cette nuit. Une question chacun. Pas d'esquive, pas de pénalité, juste la vérité vraie.

Il la dévisagea un moment. Il avait pensé la distraire avec le jeu, avec la pénalité qui suivrait automatiquement, mais elle avait élevé les enjeux. Et la perspective d'en savoir plus sur elle était tentante. Irrésistible, même.

— Quelle est la pire chose que tu aies jamais faite ? Une chose dont tu n'as jamais parlé à personne ?

— Eh bien, tu n'y vas pas de main morte, toi !

— Toi non plus. Et c'était chacun son tour. A toi, donc, la dernière question.

— J'ai volé à l'étalage, quand j'avais quatorze ans, avoua-t-elle, revoyant parfaitement l'incident. C'était dans un grand magasin, et j'étais totalement furieuse contre mes parents. Ma mère n'avait même pas pris la peine de me téléphoner pour mon anniversaire, et mon père était en croisière avec sa… je crois que c'était sa troisième femme. J'ai dû me dire qu'en me faisant arrêter, j'obtiendrais peut-être un peu plus d'attention de la part de mes parents, expliqua Sophie, posant sa fourchette avant de regarder Tracker. On croirait entendre l'histoire de la pauvre petite fille riche, non ?

Il resserra sa prise sur sa main.

— Raconte-moi la suite.

— J'avais un grand sac, et je l'ai rempli avec toutes sortes de choses : pulls en cashmere, lingerie de prix. Je tenais à être arrêtée sous l'inculpation de vol qualifié.

— Que s'est-il passé ?

— Je savais que j'avais été repérée, que je serais interceptée dès que je tenterais de sortir. Je n'avais pas fait dix pas en direction de la porte que j'étais paralysée. Alors, j'ai emporté mon sac à la caisse la plus proche, j'ai sorti ma carte de crédit et j'ai payé, parce que j'étais trop poltronne pour y arriver.

Il leva leurs mains jointes et déposa un baiser sur la sienne.

— Tu fais partie des gens les plus courageux que je connais, princesse.

Il le pensait vraiment, lui apprit son regard, et elle aurait volontiers dit quelque chose, si une boule ne lui avait pas soudain bloqué la gorge.

— A ton tour, dit-il. Pose-moi une question.

Il lui avait déjà confié une chose dont il ne parlait jamais. Et, soudain, elle eut envie que ce ne soit pas au cours d'un jeu qu'il lui révèle d'autres éléments de lui-même.

— Quel est ton film préféré ?

Il la fixa un bon moment sans répondre.

— Tu aurais pu me demander tout ce que tu voulais.

— Je viens de le faire.

— Tu m'étonneras toujours. Je ne sais pas si j'arriverai jamais à te comprendre.

— C'est parfait, répondit-elle en souriant. Parce que j'ai toujours l'impression de n'avoir aucun secret pour toi. Tu m'as connue dans les pires moments.

— Les pires ? Princesse, tu ne voudrais pas me voir dans ces moments-là. J'ai tué.

Il avait dit cela pour la choquer, elle le comprit en apercevant l'éclair de colère dans ses yeux. Avait-il peur qu'elle s'en aille ? Serait-il possible qu'il craigne la même chose qu'elle ? Elle ne répondit rien et attendit.

— Je n'étais pas très doué, au début. La première fois que j'ai tué un homme, j'ai vomi. J'avais tout juste seize ans, et je m'étais engagé avec dans l'idée de devenir un héros. Avant, j'avais déjà participé à des bagarres de rues, mais jamais avec des armes à feu. J'ignorais les dégâts qu'elles provoquent sur des êtres humains. C'était une mission de maintien de la paix, on patrouillait, et puis on a été séparés de l'unité, un copain et moi. Brutalement, il s'est fait descendre, et quand j'ai vu un soldat courir vers moi, j'ai levé mon fusil et j'ai tiré. L'impact de la balle… je n'oublierai jamais.

Elle mêla ses doigts aux siens, les serra.

— Que s'est-il passé ?

— J'ai réussi à ramener mon pote dans l'unité avant de vomir mon déjeuner sur les chaussures du sergent.

La colère, le besoin de la choquer, tout cela avait disparu de son regard.

— Ce n'était que la première fois, princesse. Je pourrais t'en raconter, des histoires. Tu partirais en courant.

— Non, répliqua-t-elle en le regardant en face. Tu vas peut-être me trouver superficielle, mais la seule chose à laquelle je pense pour l'instant, c'est la manière dont je pourrais bien t'extraire de ces vêtements.

— Qu'as-tu en tête ? demanda-t-il, le regard intense.

Un peu de sa tension se dissipait, mais elle le sentait néanmoins sur la réserve, méfiant. Pourquoi cela l'excitait-il autant, d'ailleurs ? Elle se pencha vers lui et murmura d'un ton confidentiel.

— Comme j'ai laissé tous les joujoux à la maison, on va devoir improviser. Je pensais à un strip-poker. Tu es partant ?

9.

C'était une fameuse joueuse de poker, chose que Tracker n'aurait jamais devinée, tant elle avait le regard limpide. Il lui fallut plusieurs mains pour comprendre que justement, *là* était son secret. Elle savait que les gens la pensaient transparente, et elle en jouait.

Il prit autant de plaisir à leur force égale qu'à mettre son sang-froid à l'épreuve de ce petit jeu sexuel. Même s'il n'avait pas eu l'avantage jusqu'à maintenant. Car alors qu'elle était encore entièrement vêtue, lui n'avait plus que son caleçon. Et après avoir admiré le sang-froid de Sophie, il avait à présent envie de le lui faire perdre. Elle avait peut-être encore tous ses vêtements, mais la veine qui pulsait à son cou devenait de plus en plus frénétique, et ses yeux avaient pris une teinte sombre. Ils s'assombriraient encore quand il serait en elle.

Stop. Si jamais il se mettait à imaginer qu'il la possédait, le jeu risquait de tourner court. Et il ne voulait pas qu'ils fassent l'amour trop vite, ce soir. Cette nuit serait peut-être la dernière où il pourrait la toucher, la caresser, la serrer…

— Full, annonça-t-elle en retournant ses cartes.

— Encore perdu. A moi de donner.

— D'abord, tu dois enlever quelque chose, dit-elle, le regard pétillant d'amusement.

Et d'autre chose, aussi. Cette autre chose qui lui tordait également les tripes.

— D'accord. Qu'est-ce qui te ferait plaisir ?

— Hum… je me demande.

— Quand tu veux.

Son ventre se contracta encore quand il la vit baisser les yeux vers son sexe érigé, parfaitement visible sous le fin coton du caleçon. Au risque de se faire mourir tout seul, il fit courir une main nonchalante sur ce qui n'attendait plus qu'elle.

— Tracker…

La voix lui manqua, elle tendit une main vers lui, et il crut un instant que le jeu était fini. Mais elle planta ses yeux dans les siens.

— Un jour, on m'a dit que l'attente décuple le plaisir.

Il dut faire appel à toute sa volonté pour ne pas s'emparer d'elle sur-le-champ. Quand il pensait à la rapidité avec laquelle il pourrait la coucher sous lui, à son besoin d'être en elle… Oui, mais alors elle gagnerait aux deux jeux : le poker et ce petit jeu de l'attente qui venait de démarrer.

Non. Il n'allait pas lui faciliter les choses. Pas encore. Allons, il pouvait attendre encore un peu, puisqu'elle était à portée de main.

Qu'allait-il faire quand elle n'y serait plus ?

— Jamais aucun homme ne s'est effeuillé pour moi. J'ai comme l'impression que je pourrais en prendre l'habitude.

Il sentit sa peau le brûler alors qu'elle la caressait du regard et, pour incroyable que ce fut, son érection crût encore.

— Les chaussettes, finit-elle par dire d'une voix haletante.

— On se dégonfle, princesse ?

Elle leva le menton.

— Pas du tout. Je n'ai pas envie de terminer tout de suite. Je veux aller au bout du jeu.

Encore une chose qu'il avait apprise sur elle : quoi qu'elle commençât, elle s'y tenait avec une détermination qu'il ne pouvait qu'admirer. Ils se ressemblaient bien, de ce côté-là.

— Il n'y aura qu'une seule fin à ce jeu, dit-il, posant un pied sur la table basse pour enlever une chaussette.

— Je sais.

Et il pourrait l'arrêter tout de suite, songea-t-il, enlevant l'autre. Ce n'était pas seulement de ses vêtements dont elle l'avait dépouillé, ce soir. Il lui avait confié des choses qu'il n'avait encore jamais dévoilées à personne. Et, au lieu d'être choquée, elle avait compris.

Il en venait à la comprendre, elle aussi. Il savait ce que ça faisait, de ne pas avoir sa place, d'avoir l'impression que l'amour va toujours vous éviter. Mais lui, il ne l'éviterait pas, il ne le permettrait pas. En la voyant poser ses cartes et se lever, il comprit qu'il venait de perdre bien plus qu'une partie de poker. Il avait perdu son cœur.

— Je suis fatiguée de ce jeu, dit-elle.

Et comme c'était exactement ce qu'il pensait, lui aussi, il garda le silence un bon moment, incapable de parler. Trop d'émotions se bousculaient en lui, et il n'était plus sûr que d'une seule chose. Il la voulait encore plus qu'avant et, de plus, il voulait l'impossible. Il la voulait pour de bon.

— Tes désirs sont des ordres, princesse.

Sophie n'était plus sûre que d'une seule chose. L'attente avait presque signé son arrêt de mort. Elle le voulait, elle voulait tout de lui. Tout de suite. Mais il y avait ce truc dans ses yeux, par-delà la brûlure du désir, quelque chose qui l'intriguait presque autant que son désir la consumait.

— Dis-moi ce que tu veux, demanda-t-elle.

— Je veux… faire partie de toi.

On eut dit qu'on lui avait arraché ces mots, et la chaleur qu'ils firent naître en elle fut tout à fait différente de celle qu'il avait déjà provoquée. Elle tenta de se persuader qu'il n'y avait pas de quoi en faire un plat, qu'ils voulaient tout dire et rien dire dans le même temps, que Tracker ne faisait qu'évoquer l'acte physique à venir, rien n'y fit. Il faisait généralement attention à ce qu'il disait, et pensait ce qui passait ses lèvres. Alors même qu'un bouillonnement de joie montait en elle, elle se morigéna de vouloir encore l'impossible. Surtout, elle ne voulut pas le pousser plus loin. Elle ne voulut plus que ce qu'elle avait : l'opportunité de lui montrer ce qu'elle éprouvait pour lui.

— On m'a dit, un jour, que lorsqu'on veut quelque chose, il suffit de tendre la main et de le prendre.

Il tendit alors les mains et la fit passer par-dessus la table basse. Puis, alors qu'il se penchait pour prendre sa bouche, elle lui plaqua une main contre la poitrine.

— Pas encore. Si tu m'embrasses, je n'aurai plus les idées claires.

— Sophie, le jeu est fini. Il y a des limites aux agaceries qu'un homme peut supporter.

Même si tout en elle réclamait sa bouche sur la sienne, son corps dans le sien, elle tint bon.

— Tout doux, dit-elle en utilisant ses propres termes. Il y a d'abord une chose que je veux faire. J'en ai rêvé toute la nuit, et tu ne vas pas être déçu.

Combien elle comprit l'effort qu'il dut faire pour la relâcher, car elle dut en faire un similaire pour poser ses mains sur son caleçon et glisser les doigts sous l'élastique. Pour lui, elle allait se cramponner et y arriver.

— J'ai eu envie de le faire la première fois que je t'ai vu, dans le bureau de Lucas, quand tu m'as serrée contre toi et consolée. Quand l'image même de cela m'est venue à l'esprit, dit-elle, refermant sa main sur son pénis érigé, j'ai été choquée. Je n'ai jamais songé à le faire avec aucun homme avant toi. Mais cela ne me choque plus.

Elle tomba à genoux et referma sa bouche sur lui.

*
* *

Peut-on mourir de plaisir ? fut la seule question qui vint à l'esprit de Tracker quand elle le prit dans sa bouche. *Oui*. La réponse arriva, claire et nette, dès qu'il sentit la langue de Sophie s'enrouler autour de son sexe tendu. Il aurait dû se douter qu'elle essaierait une chose pareille. Il aurait dû s'y préparer. Il fallait qu'il la fasse arrêter. Il ne pouvait pas la laisser continuer. Il fallait qu'il…

— Arrête, réussit-il à bredouiller, refermant ses mains autour de son visage en la repoussant. Si tu veux y aller tout doux, ce n'est pas le bon moyen.

— Là, tout de suite, je serais partante pour du rapide, et même du brutal, répondit-elle. Tu as bon goût.

Il referma les mains sur ses épaules, la remit sur pied, puis la fit s'asseoir.

—Je crois qu'on a tous les deux besoin d'une petite pause, dit-il. Et comme tu es bien trop vêtue, que dirais-tu d'enlever tout ça pour moi ?

Ce fut avec des doigts tremblants qu'elle entreprit de remonter lentement sa robe sur ses jambes. Il se souvint alors de l'intermède des toilettes, de l'effet que lui avaient fait ses jambes refermées autour de lui et fut transpercé par un nouvel accès, plus brutal, de désir.

Elle interrompit son geste.

— Non ! grogna-t-il.

— Non, quoi ?

— N'arrête pas.

La robe remonta, dévoila son ventre satiné, sa taille, ses seins. Le cœur battant furieusement, le souffle court, il la regarda faire passer la robe par-dessus sa tête, puis la lâcher et enlever son soutien-gorge. L'espace d'un instant, il ne put que la contempler, debout devant lui et uniquement vêtue d'un soupçon de soie et de talons aiguilles. Autant il avait envie de tendre les mains et de s'emparer d'elle, autant il voulait autre chose. La pousser aussi loin qu'elle l'avait poussé.

— Caresse-toi pour moi, Sophie.

Il l'entendit suffoquer, et la vit hésiter. Puis elle leva les mains et les referma sur ses seins.

— Non, je veux que tu te caresses là où je vais venir, là où je vais t'emplir. Là où je vais faire partie de toi.

Un frisson le traversa en la voyant baisser la main. Elle allait relever le défi qu'il venait de lui lancer. Puis il cessa de penser quand elle ôta son slip, glissa la main entre ses cuisses. En proie à un désir dévastateur, il se pencha. Elle lui posa les mains sur les épaules, il la souleva et la ramena de son côté de la table basse.

— Dis-moi ce que tu veux.

— Je te veux en moi, tout de suite.

Il tomba à genoux, l'attira à califourchon sur lui et la pénétra lentement.

— Ne bouge pas, dit-il, la voix rauque.

Pendant un moment, il n'osa même pas respirer, de peur d'exploser. S'il parvenait à se reprendre, il pourrait faire durer plus longtemps le plaisir. Il fallait qu'il y arrive, pour elle.

Tout en la serrant fort contre lui, il se laissa aller en arrière jusqu'à ce qu'ils se retrouvent sur le sol, imbriqués. Quand elle voulut se cambrer contre lui, il l'immobilisa. Elle eut beau vouloir s'arquer, onduler, il la tenait serrée, empalée, impuissante.

C'était ainsi qu'il avait voulu la voir. Le regard chaviré, le souffle erratique, la peau brûlante. C'était ainsi qu'il la voulait. Captive. A jamais sienne.

— S'il te plaît, murmura-t-elle.

— Dis-moi que tu m'appartiens, Sophie.

Au moins ça.

— Je t'appartiens, T. J.

Alors il referma les mains sur ses hanches et commença à se mouvoir en elle, lentement, paresseusement. Sensuellement.

— Encore. Encore, gémissait-elle dès qu'il s'arrêtait.

Il voulait faïre durer le plaisir, faire durer l'instant. Quand elle le quitterait, il garderait le souvenir de ce moment où elle avait été sienne.

Puis il la laissa faire, et ce fut elle qui ondula sur lui, pâle dans le clair de lune, les cheveux ébouriffés, le visage extatique. Il crut être chevauché par une déesse consciente de son pouvoir.

Quand il comprit que l'orgasme était sur le point d'emporter Sophie, il intensifia ses coups de reins et la regarda partir dans les étoiles. Avant de la rejoindre.

Il ne sut pas combien de temps plus tard il trouva la force de se lever, de la soulever dans ses bras, et de l'emporter au lit. Dans la chambre, il l'allongea, endormie, et se coucha contre elle. En la tenant dans ses bras.

Le ciel s'éclaircissait à peine lorsque Tracker se faufila hors de son lit. Sophie dormait comme un enfant, une main sous la joue et l'autre jetée au-dessus de la tête. Bizarre, qu'il n'ait encore jamais songé à elle en termes de fragilité, même quand il lui faisait l'amour. Ce matin, en remarquant ses attaches frêles et l'ossature délicate de son visage, il sentit croître en lui son besoin de la protéger. Mais, pour forte que fût son envie de rester là, allongé près d'elle, à la regarder dormir, il n'en avait pas moins un travail à accomplir. Celui-là même qui assurerait la sécurité de Sophie.

Aussi sortit-il sans bruit de la chambre avant d'enfiler son caleçon et un pantalon. Puis il tenta encore une fois de joindre Chance sur son portable.

— Allô !

— Mitchell ? Il faut qu'on se voie.

— Eh bien, il te suffit de me téléporter, Scotty.

Tracker coupa la connexion, puis s'entretint avec ses hommes en faction sur l'Interphone. Chance savait qu'ils ne pouvaient rien dire sur un portable, et la référence à *Star Trek* signifiait qu'il était à deux pas de l'immeuble Wainright. Elle lui rappela également l'époque où ils travaillaient ensemble pour l'armée. Bon. Les bons souvenirs, la nostalgie, ce serait pour plus tard. Pour le moment, il avait un compte à régler avec « Carter Mitchell ».

Cinq minutes plus tard, il introduisait Chance dans la petite salle de conférences attenante à ses quartiers privés. Son vieil ami était entièrement vêtu de noir, depuis le jean jusqu'au sweater en passant par la casquette.

Il referma la porte, posa une main sur l'épaule de Chance, le fit pivoter vers lui et lui enfonça son poing dans l'estomac. Sans lui laisser le temps de reprendre son souffle, il lui tordit le bras dans le dos et lui cogna le visage contre le mur.

— Bon sang, que f…

— Je crois qu'il est grand temps de mettre cartes sur table. A quel jeu joues-tu ?

Chance commença par garder le silence, et Tracker put presque entendre son cerveau évaluer les options qui se présentaient à lui. Il lui tordit un peu plus le bras.

— N'envisage même pas de me raconter encore une fois des salades. Et, tiens, commence donc par me dire quels étaient précisément tes rapports avec Landry.

— Qu'est-ce qui te fait croire qu'on était en relation ?

— Il y a un flic très futé qui bosse sur le meurtre et qui m'a mis la puce à l'oreille. Et puis, je ne connais que deux personnes, à part moi, capables de contourner le système de sécurité que j'ai élaboré, précisa-t-il en lui cognant encore une fois la tête contre le mur. L'homo devient son meilleur ami, le pote de l'homo devient son soupirant… tout ça dans le but d'attraper un trafiquant. Tu ne comptes tout de même pas me faire avaler ça ?

— D'accord, reconnut Chance en soupirant. Landry était mon partenaire depuis trois ans. Entre autres choses, nous travaillions en indépendants pour la Lloyd's de Londres.

Tracker le lâcha.

— Et tu n'as pas cru nécessaire de nous prévenir, Lucas et moi, que ton partenaire, qui faisait tout son possible pour mettre Sophie dans son lit, ne l'utilisait qu'en guise de couverture pour votre enquête en faveur de la Lloyd's ?

Chance lui fit face et leva les deux mains.

— Je t'ai dit que je n'avais aucune idée de la parenté entre Lucas et elle avant la soirée d'anniversaire. Alors, je vous ai dit ce que j'estimais que vous deviez savoir. Bon sang, Landry était mon partenaire, je me devais de protéger sa couverture ! Dis-moi, qu'aurais-tu fait à ma place ?

Le hic, c'était qu'il aurait fait la même chose, songea Tracker, en gagnant la fenêtre. Le travail devait passer en premier. S'il voulait protéger Sophie, il allait devoir se remémorer cela et mettre ses émotions sous le boisseau. Dehors, le ciel qu'il apercevait derrière le Washington Monument était à présent strié de rose. L'heure tournait.

— J'ai besoin que tu me dises tout. Absolument tout.

— Je ne vous ai pas menti sur notre enquête. Landry avait infiltré l'organisation, et il avait pour mission de récupérer les objets et de les faire passer. Seulement, il y a eu un problème. L'objet qui était censé arriver n'était pas dans les caisses. Le big boss devait le recontacter la nuit dernière, et ensuite il devait me rejoindre à son hôtel. Je l'y ai attendu jusqu'à ce que je finisse par avoir ton message.

— Il a été contacté, pas de doute là-dessus. Et quiconque l'a fait a décidé de ne pas laisser de témoins derrière lui. Peut-être même qu'il a eu ce qu'il recherchait. Je veux qu'à partir de tout de suite, Sophie n'ait plus rien à voir là-dedans.

— C'est une possibilité, répondit Chance en l'étudiant. Mais Landry jurait ses grand dieux que l'objet n'avait pas été déballé.

— Pourquoi est-il retourné dans la boutique, si ce n'était pas pour la pièce ? Il a quitté précipitamment la réception Langford-Hughes. Peut-être que la pièce était cachée dans un autre objet, et que le big boss lui a dit où chercher.

Chance se mit à faire les cent pas.

— Tu as peut-être raison, mais Landry a pu également retourner au magasin pour un autre motif. Peut-être était-ce l'occasion pour lui de rencontrer le Maître des Marionnettes à visage découvert. Il y a également la possibilité d'un retard à l'autre bout, et que l'objet n'arrive pas avant la livraison prévue mercredi prochain. Ce jour-là, toutes les boutiques de Prospect Street font leur grande braderie annuelle. Comme la foule offrira une couverture idéale à notre Maître des Marionnettes, nous pourrons peut-être l'avoir.

Tracker prit le temps de soupeser les avantages et les inconvénients des diverses éventualités. Facile à dire, qu'il voulait sortir Sophie de ce guêpier, mais comment la garder en sécurité tant qu'ils n'auraient pas attrapé celui qui se cachait derrière tout cela ?

— Ce type ne recule devant rien, et la mort de Landry devrait suffire à t'en convaincre. Je suis plus que jamais persuadé que le meilleur moyen de protéger Sophie est de ne rien changer à ses habitudes. La seule manière d'assurer sa sécurité, c'est de choper ce type.

— Landry *out,* qui va récupérer la pièce ?

— Il n'est jamais à court de plans de rechange. On ne l'appelle pas le Maître des Marionnettes pour rien.

— Ah oui ? Eh bien, j'ai comme l'impression que je vais lui couper quelques-unes de ses ficelles. On est en train de changer le code de sécurité du magasin, et d'y installer des caméras vidéo. La boutique sera fermée toute la journée, le temps de tout mettre en place.

Il y avait autre chose qu'il savait devoir faire. Bon sang, une chose qu'il avait comprise en voyant le corps sans vie de Landry, et que sa conversation avec l'inspecteur Ramsey n'avait fait que confirmer.

— Deux choses, encore : primo, je vais tout dire à l'inspecteur Ramsey et à sa coéquipière. Secundo, je vais faire de même avec Sophie.

— Ce sont de très mauvaises idées, protesta Chance.

— Peut-être, mais Sophie est ma priorité, et je ne laisserai rien ni personne m'empêcher de la protéger. A présent, elle a besoin de savoir que sa vie est en danger, afin de se montrer prudente. Quant à moi, j'ai toujours préféré avoir un plan de repli, et je vais avoir besoin de l'aide de Ramsey pour cela.

Le téléphone sonna quatre fois avant d'être décroché.

— Oui ? répondit une voix ensommeillée.

— J'ai un travail pour vous, dit-il.

— Oui, répondit la voix, plus claire, avec un je-ne-sais-quoi dans l'intonation qui ressemblait à de la peur. Qu'est-ce que c'est ?

Le Maître des Marionnettes réfléchit, tout en regardant le soleil jouer sur les pièces en argent toutes neuves posées sur l'échiquier, devant lui. Très doucement, il déplaça un cavalier.

— Le cheval en céramique qui est arrivé hier, dans la boutique de Mme Wainright. Je le veux.

— Un cheval en céramique ? Je ne me souviens… Non. Il n'y avait rien de tel dans cette livraison. Vous devez faire erreur.

Le Maître des Marionnettes poussa un soupir et, d'une main parfaitement manucurée, se pinça l'arête du nez. Le seul fléau de son existence était bien de traiter avec l'incompétence.

— Je ne fais jamais erreur.

A l'aide de sa tour, son vis-à-vis lui prit le cavalier. Parfait. Au moins un jeu se déroulait-il bien.

— J'ai en main une copie de l'ordre d'expédition, murmura-t-il dans le combiné. Le cheval en céramique y figure au même titre qu'une écritoire Louis XIV et un clavecin du XVIIIe siècle. Ces objets vous disent-ils quelque chose ?

— Parfaitement. Mais je n'ai pas vu de cheval.

— Il est arrivé. Vous avez pour mission de le trouver.

— Mais…

— Ah, ah, ah !

Il attendit le silence complet à l'autre bout.

— Pas de mais. En cas d'échec, je serais contraint de prendre certaines mesures. Au cas où vous voudriez avoir un aperçu de votre avenir, achetez donc le journal de ce matin.

Il coupa la communication sans laisser à son correspondant le temps de répondre. Puis il déplaça son deuxième cavalier.

— Echec et mat.

Il rit doucement en voyant son vis-à-vis étudier l'échiquier, sourcils froncés.

— Je n'ai rien vu venir.

C'était toujours mieux comme cela. Détruire l'adversaire avant même qu'il se rende compte de votre présence.

— Votre mission sera un peu plus stimulante, je vous le promets.

Sophie s'éveilla en sursaut, et comprit, avant même de se retourner, que Tracker n'était plus là. C'était idiot d'avoir de la peine qu'il l'ait quittée avant son réveil. Il ne pouvait pas être loin, puisqu'ils étaient chez lui. Il allait revenir. A un moment donné, cette nuit, elle avait senti ses bras l'étreindre, et elle se souvenait encore du trouble qu'ils avaient suscité chez elle.

Elle se sentit ridicule, et repoussait ses cheveux quand Chester vint la rejoindre.

— Il est en train de m'avoir, lui confia-t-elle.

Le chat se frotta contre elle.

Ce fut alors qu'elle comprit qu'elle avait eu beau rêver de Tracker McGuire pendant un an, et coucher avec lui depuis… une journée ou à peu près, elle en savait toujours aussi peu sur lui. Bon, peut-être en savait-elle un tout petit peu plus. Elle connaissait son prénom, elle savait qu'il était gentil et qu'elle pouvait le battre au poker. Mais, en bien des points, il lui était aussi étranger que lorsqu'elle l'avait baptisé Fantômas. Les quelques secrets qu'il lui avait révélés, hier soir, n'avaient fait qu'aiguiser son appétit.

Il devait bien y avoir quelques indices, dans son appartement, songea-t-elle, regardant autour d'elle. La chambre, petite, n'était que sommairement meublée. Un lit, une table de chevet, surmontée d'une lampe, et une commode. Aucune décoration sur les murs uniformément blancs. Rien, nulle part, ne lui parlait de Tracker McGuire.

Elle se leva, alla ouvrir tour à tour chaque tiroir de la commode, mais n'y trouva que des piles impeccables de T-shirts, des sous-vêtements et des chaussettes, tous de sa couleur favorite, le noir. Les jeans, pantalons, chemises et vestes étaient pendus dans le placard et étaient tous noirs ou blancs.

— Cet homme a définitivement besoin d'un peu de couleur dans son existence, dit-elle au chat.

Chester ne répondit rien.

— Je sais que je me mêle de ce qui ne me regarde pas, mais le pouvoir réside dans le savoir. Non que j'apprenne grand-chose ici, sauf qu'il est ordonné et qu'il aime les chemises de lin.

Elle fit courir sa main sur une des chemises, et perçut une bouffée de son odeur. Brusquement, elle le crut revenu dans la chambre. Mais non. Elle refoula l'impression de solitude qui avait accompagné son réveil, dépendit la chemise et glissa les bras dans les manches.

— Je l'aime bien, Chester.

Le chat s'ébroua.

— Je dis la vérité, insista-t-elle, vexée. Je l'aime vraiment bien. Il est gentil, doux, et drôle. On a beaucoup de choses en commun.

Chester bondit du lit et vint se frotter contre son mollet.

— Bon. Tu es au moins d'accord avec ça. Allons, viens.

Dans le living-room, les vêtements qu'il y avait semés la veille avaient disparu, mais sa robe était toujours là où elle l'avait jetée, les cartes toujours sur la table basse. L'espace d'un instant, elle revit ce qu'ils avaient fait.

Jamais encore elle n'avait joué au strip-poker, et rien ne l'avait préparée à l'impression qu'on pouvait en retirer, du moins quand on gagnait. Jamais elle n'aurait cru que voir un homme obéir à ses directives l'exciterait autant. Même maintenant, elle en était un peu choquée. Mais ce qui était sûr, c'était qu'elle rejouerait au strip-poker, aussi longtemps qu'elle aurait Tracker pour adversaire.

Tandis que Chester s'installait sur le canapé, elle alla ouvrir le secrétaire duquel Tracker avait sorti les cartes à jouer. A l'intérieur, se trouvait un ensemble audio-vidéo dernier cri, et les étagères débordaient de CD, DVD et cassettes vidéo. Elle s'accroupit pour les passer en revue.

La collection de films de Tracker éclipsait sans conteste la sienne. Elle parcourut les titres du regard, sortant parfois un boîtier pour en lire le résumé.

Il devait avoir l'intégralité des œuvres filmées d'Hitchcock. Ravie, elle découvrit *Casablanca* et *African Queen*. Quelle astuce, d'avoir acheté les classiques pour les avoir à disposition, sans dépendre des chaînes satellite.

— Dis donc, Chester, je parie qu'il a tous les films qu'a jamais tournés Humphrey Bogart !

— Je les ai, en effet.

La voix de Tracker la fit sursauter.

— Mais d'où sors-tu ?

— J'ai mon bureau dans la pièce adjacente. Cherchais-tu quelque chose en particulier ?

Oui, toi, fut-elle sur le point de répondre, et elle sentit le rouge lui monter aux joues. Tout en se redressant, elle croisa les mains devant elle.

— J'étais carrément en train d'espionner. Je crois que le jeu des vingt questions n'a fait que stimuler ma curiosité.

Elle avait joué au strip-poker et fait sauvagement l'amour avec cet homme à l'endroit même où elle se tenait, et c'était *maintenant* que la crise de nerfs menaçait ? Où était la logique, dans tout cela ?

— Si je préparais du café, afin que tu puisses me demander ce que tu veux ?

— Où étais-tu ? lâcha-t-elle sans plus réfléchir.

Il avait l'air si détaché, comme s'il avait l'habitude de trouver des femmes en train de fouiller dans ses affaires.

— J'avais une réunion et plusieurs coups de fil à passer, répondit-il en la regardant par-dessus son épaule, tandis qu'il mettait une bouilloire à chauffer. En ce moment même, on est en train de modifier le code de sécurité de ton magasin.

Ses yeux s'agrandirent, et elle dut se rattraper au comptoir de la cuisine. Juste ciel, depuis son réveil, elle avait totalement oublié John Landry et tout ce qui s'était passé la veille, à la boutique. Elle n'avait plus pensé qu'à Tracker.

— Il faut que j'y aille, bredouilla-t-elle, prenant la direction de la salle de bains.

— Sophie, j'ai envoyé des hommes réparer ton système de sécurité. J'ai aussi parlé à l'inspecteur Ramsey, et il pense qu'il vaudrait mieux ne pas ouvrir aujourd'hui.

Elle fit volte-face et faillit le percuter.

— C'est mon magasin. Tu n'aurais pas dû…

Elle s'interrompit juste à temps avant de dire « me laisser ». Mais d'où lui était venue une phrase pareille ? Cet homme avait un travail à accomplir. Elle aussi, d'ailleurs. Et se sentir abandonnée, sous le simple prétexte qu'il s'était levé avant elle, était proprement ridicule. Ils n'avaient aucun droit l'un sur l'autre.

— Excuse-moi, dit-il, lui prenant les mains.

Quoi qu'elle ait pu vouloir dire, cela lui échappa à l'instant même où elle comprit qu'il était sincère. Peut-être était-il également un peu nerveux, se dit-elle alors.

— J'ai pensé que tu avais besoin de récupérer, dit-il. Je ne t'ai pas franchement laissée beaucoup dormir, ces derniers temps.

— Je ne me plains pas, répondit-elle en souriant.

— Je n'essaie pas, non plus, de prendre les décisions à ta place. Le meurtre de Landry sera dans tous les journaux, ce matin, et beaucoup de gens viendront dans ton magasin dans le seul but d'apaiser leur curiosité morbide.

Sophie opina, pensive.

— Par respect pour John, il vaut peut-être mieux ne pas ouvrir, aujourd'hui.

Elle ne se rendit compte qu'elle avait bougé que lorsqu'elle appuya sa tête contre le torse de Tracker, et que ses bras se refermèrent autour de lui.

— Je n'arrive pas à m'y faire. A me dire que… qu'il est vraiment mort.

Elle se laissa aller contre lui. Ça devenait trop facile, d'attendre un soutien de lui. C'était une faiblesse qu'elle ne pouvait se permettre. N'avait-elle pas encore assimilé la leçon ?

— Merci de t'être chargé de tout.

Tracker lutta contre le flot d'émotions qui le submergeait. Chaque fois qu'il la tenait ainsi, dans ses bras, quelque chose de vital, en lui, semblait l'abandonner. Il n'était plus parvenu à réfléchir sainement depuis l'instant où il était arrivé de son bureau, et il ne savait même pas combien de temps il était resté sur le seuil, à la regarder. Peut-être était-ce dû au fait qu'elle avait enfilé une de ses chemises, ou à l'éclat que le soleil matinal donnait à ses cheveux. Quoi qu'il en soit, il comprit brutalement qu'elle avait inexplicablement trouvé sa place chez lui.

De tous les fantasmes qu'il s'était permis à propos de Sophie Wainright, aucun ne l'avait jamais située dans cet appartement stérile et fonctionnel qui lui servait quand il devait dormir en ville. Et il comprit soudain qu'il ne voudrait plus jamais y venir sans elle.

Tous deux s'écartèrent en même temps.

— Je vais m'habiller. Il faut que j'aille à la boutique, pour y prendre des papiers à remplir. Et je dois également passer un ou deux coups de fil. J'ignore pourquoi, mais pas mal de gens se sont pris d'une brutale affection pour les chevaux en céramique.

— Je t'accompagne, proposa-t-il.

— Tu n'es pas obligé, tu sais. Tu as du travail, toi aussi. Ce… ce qui se passe entre nous, eh bien… il ne faut pas que cela gêne nos activités professionnelles.

— Tant que nous n'aurons pas découvert comment John Landry a trouvé la mort chez toi, mon travail c'est toi, Sophie.

Différentes réactions se succédèrent alors dans les yeux de Sophie : ressentiment, colère, puis un soupçon de peur. Tracker décida de jouer sur cette dernière.

— Cela aurait pu être toi.

— C'est ridicule, s'insurgea-t-elle aussitôt.

— Non.

Là, il allait devoir choisir soigneusement ses mots, car il avait déjà déterminé le lieu et l'heure où il lui dirait la vérité.

— Soit Landry a laissé entrer quelqu'un dans ta boutique, soit il a surpris un intrus et s'est fait descendre. Si tu avais été chez toi, tu te serais précipitée en entendant du bruit. Tu crois vraiment qu'on t'aurait épargnée ?

Tout en se maudissant intérieurement, il la regarda blêmir, et ajouta :

— Si j'appelais Lucas pour l'informer de ce qui s'est passé, que crois-tu que seraient les ordres ?

— Ne l'appelle pas, s'écria-t-elle, avec dans le regard une colère plus facile à manipuler que la peur.

— A une condition.

— Laquelle ? demanda-t-elle, méfiante.

— Tu me laisses assurer ta sécurité.

Elle hésita un instant.

— D'accord.

Puis elle regagna la chambre sans mot dire.

10.

— Es-tu prête pour cela ? lui demanda gentiment Tracker alors qu'ils sortaient du garage et remontaient l'allée menant à l'entrée des fournisseurs de son magasin.

— Il le faut bien.

Cependant, elle s'arrêta, en même temps que lui, en apercevant un petit groupe rassemblé dans la cour.

Sur le banc de bois vermoulu étaient assis Noah et Chance, tandis que Chris Chandler, debout devant une table roulante, leur servait des cafés au lait. Sur le seuil de la porte de derrière se tenaient les inspecteurs Ramsey et Gibbs.

Noah, le premier à les repérer, accourut vers eux.

— Sophie ! Tu vas bien ? J'ai appelé chez toi dès que j'ai appris la nouvelle aux informations. Et comme tu ne décrochais pas le téléphone, je me suis dit…

— Tout va bien, Noah, le rassura-t-elle. Excuse-moi, j'aurais dû t'appeler moi-même. Nous n'allons pas ouvrir, aujourd'hui.

— Tu sais qu'il y a des gens à l'intérieur ? J'allais appeler la police quand elle est justement arrivée.

— Ce sont des gens du service de sécurité de la Wainright & Co, expliqua Sophie. Ils changent les codes de sécurité.

— Excellente initiative, très chère, dit Chris Chandler en lui tendant un café au lait. Tenez, je crois que vous en avez bien besoin. Quelle affaire épouvantable ! Je ne serais pas venu aujourd'hui si

Son Excellence l'ambassadeur Lipscomb ne m'avait pas téléphoné à la première heure, ce matin, pour m'entretenir de l'une des pièces uniques que vous avez en magasin. Les nouvelles vont vite, dans les réceptions de Millie.

— Elle ne traitera aucune affaire aujourd'hui, par respect pour la mémoire de John Landry, intervint Tracker.

— Oh, s'exclama Chris, un instant pris de court. En ce cas, je ne vais pas vous déranger plus longtemps.

Il posa sa chope sur la table roulante et fit mine d'agiter ses ailes.

— Un mot, tout de même, avant de filer plus vite que mon ombre, reprit-il en posant une main sur le bras de Sophie. Céramique. Une pièce équestre serait l'idéal, mais toute pièce provenant de cet artiste qui a réalisé le saladier bleu vert de Millie m'intéresse. Mettez-les moi de côté, j'achète sans voir. D'accord ?

— Bien sûr, mais… si cela ne plaît pas à Son Excellence ?

Chandler lui adressa un clin d'œil.

— Alors, il me faudra convaincre un autre de mes clients que j'ai la pièce idéale qui manquait à son salon, répondit-il, avant de baisser la voix. Je tiens à ce que Son Excellence sache quel service permanent il obtiendrait s'il me confiait la décoration de l'ambassade. Il est actuellement en pourparlers avec Beltaire. Vous imaginez ? Travailler avec Beltaire alors qu'on peut avoir Chandler ! Je ne peux pas le laisser faire une chose pareille ! Je compte sur vous, Sophie.

— Je vous fais signe dès que j'ai quelque chose, Chris.

— Merci, fit-il en lui baisant la main.

— Je crois que ça va être mon tour, dit Chance en se levant. Maintenant que je sais que tu vas bien, il faut que j'aille ouvrir la galerie.

Une fois Chance parti, suivi de l'inspecteur Ramsey, Natalie Gibbs s'approcha d'eux.

— J'aurais quelques questions à poser à M. McGuire. Pourrions-nous entrer ?

Tracker gagna la porte et entra le code temporaire pendant que, derrière lui, il entendait Noah dire à Sophie :

— Il faut que je te parle, en privé.

— Pourquoi n'emmènerais-tu pas Noah dans ton appartement, Sophie ? dit-il en se retournant. L'inspecteur Gibbs et moi-même discuterons dans la boutique.

Dès qu'ils furent seuls dans l'arrière-boutique, l'inspecteur ouvrit son carnet.

— Carter Mitchell a pénétré dans l'immeuble Wainright, ce matin, à 5 heures, et il en est ressorti une heure plus tard. Je sais également qu'il n'a aucun alibi pour hier soir. Il prétend être rentré directement chez lui, mais personne ne peut en témoigner.

Tracker étudia un instant cette femme saisissante, avec ses cheveux roux, son teint diaphane et son corps de top model, avec juste un peu de courbes en plus. Elle était contrariée. Et comme elle représentait son plan de secours pour assurer la sécurité de Sophie, il décida de sacrifier Chance.

— Je peux vous garantir que Carter Mitchell n'est en rien impliqué dans ce meurtre.

— Je ne suis pas aussi confiante que mon collègue, rétorqua Natalie, sans jamais le lâcher du regard. Et l'enjeu est plus grand pour moi que pour lui. Je veux découvrir qui a tué John Landry, car quelque chose me dit que c'est la même personne, homme ou femme, qui a tué Jayne Childress.

— Jayne Childress ?

— J'enquête sur sa mort depuis un mois. Elle a été renversée par un chauffard, quelques minutes après avoir acheté un vase ici. Il se trouve que j'étais présente quand elle a fait cet achat, car elle était détective privé et travaillait parfois pour des agences gouvernementales. Ce jour-là, elle avait une mission délicate, et m'avait demandé de lui donner un coup de main. J'avais pris ma journée, et je l'ai suivie quand elle a quitté la boutique. Elle s'est arrêtée à la galerie d'à côté, puis elle est partie vers le coin de la rue. J'ai vu un individu la pousser sous une voiture et s'enfuir à toutes jambes en emportant son paquet. Et maintenant, voilà que M. Landry est assassiné dans cette même boutique. Je ne crois pas aux coïncidences, et si vous me dites tout ce que vous savez, nous travaillerons la main dans la main. Dans le cas contraire, vous m'aurez systématiquement dans les pattes. A vous de voir.

Tout cela collait parfaitement avec ce que lui avait appris Chance, et il sentit son respect pour la police de cette ville remonter d'un cran. Chance allait devoir suivre le mouvement, lui aussi.

— Je vais vous dire tout ce que je sais, mais ma priorité absolue est la sécurité de Mme Wainright. Pour ce faire, j'aurais besoin que vous me rendiez un service en échange. Je ne veux pas la voir finir comme Landry et Childress.

— Moi non plus, répondit Natalie Gibbs en lui souriant. Je vous écoute.

Chance déverrouilla la porte de la galerie et tapa un code sur la porte intérieure. Les deux inspecteurs étaient arrivés quelques minutes à peine après lui, et même si ce n'était que coïncidence, il avait comme l'impression qu'ils étaient au courant de sa visite matinale à Tracker.

— A quel point connaissez-vous Tracker McGuire ? l'interrogea Ramsey dès que la porte se fût refermée derrière lui.

Merde, pensa Chance. Mais il n'en laissa rien paraître en allant taper un autre code sur la porte principale de la galerie.

— J'ai fait sa connaissance, hier, au magasin de Mme Wainright, et nous avons discuté quelques instants à la réception Langford-Hughes. Il m'a l'air d'être un type bien, même si un peu de variété dans sa garde-robe ne serait pas du luxe. Je lui ai indiqué l'adresse de mon tailleur.

En se retournant, il vit que Ramsey examinait une des toiles exposées. Il était sur le point de pousser un soupir de soulagement quand Ramsey pivota vers lui.

— C'est donc pour cela que vous êtes allé le voir à 5 heures, ce matin ? Il avait une urgence vestimentaire ?

Il ne répondit rien sur le moment. Vieux truc qu'il avait appris au cours de sa brève carrière dans la police de Los Angeles. Neuf fois sur dix, votre interlocuteur remplit les blancs pour vous. Mais pas Ramsey, qui attendit. Il avait dû suivre le même entraînement.

— Ai-je besoin d'un avocat ?

— Libre à vous d'en appeler un. Mais je veux simplement savoir pourquoi M. McGuire et vous aviez rendez-vous, ce matin. Je crois que cela avait un rapport avec ce qui s'est passé dans le magasin de Mme Wainright. L'inspecteur Gibbs surveille Antiquités depuis qu'une femme du nom de Jayne Childress a été tuée après en être sortie. Selon elle, vous pourriez avoir un rapport avec tout cela.

— Et qu'est-ce qui lui permet de le penser ? atermoya-t-il.

— Mettons que ce soit de l'intuition féminine, répondit Ramsey en se grattant la tête. A moins que cela n'ait un rapport avec ses soupçons sur votre véritable identité sexuelle. Elle ne vous croit pas gay.

Chance dut faire un effort surhumain pour garder une mine impassible.

— Et pourquoi donc ?

— Ma collègue a un intérêt personnel dans l'enquête Jayne Childress. Elle a pris sur son temps libre pour surveiller cette galerie et la boutique de Mme Wainright. Elle se sert du déguisement qu'elle portait déjà lorsqu'elle travaillait aux mœurs. Peut-être vous souvenez-vous d'un jeune homme blond, belle gueule, belles fringues ?

— Tout à fait. Il est venu ici. Il m'a même dragué, une fois.

— Oui, elle me l'a dit. Et quand vous avez refusé ses avances… Eh bien, Gibbs n'aime pas être rejetée.

— Alors, elle me considère comme un meurtrier ?

Ramsey sortit son carnet et l'ouvrit.

— Pas seulement à cause de cela. Vos initiales, C.M., ainsi que le nom de la galerie apparaissent trois fois dans l'agenda de Jayne Childress, et notamment le jour où elle a acheté un vase à Antiquités. Vous l'a-t-elle montré ?

Chance dissimula sa surprise. Jayne Childress s'était arrêtée à la galerie après avoir récupéré l'objet, signe qu'elle était en route pour rencontrer la tête de l'organisation. Dès son départ, il avait retourné le panonceau *Fermé* sur la porte et l'avait suivie dans la rue. Juste à temps pour voir un homme lui arracher son paquet et la pousser sous les roues d'une voiture. Un timing préparé avec soin. Sous forme de ballet impeccablement réglé. La scène hantait encore ses rêves. Il repoussa cette image et se concentra sur son vis-à-vis.

— Bien sûr, vous n'êtes pas tenu de répondre à mes questions. Mais en ce moment même, ma collègue fait à M. McGuire la proposition que je vous fais : un échange librement consenti d'informations.

— Que proposez-vous en contrepartie ? s'enquit-il.

— Je pense que nous courons probablement après le même salaud, et qu'il serait peut-être utile de joindre nos forces et d'éviter de se marcher dessus.

Il fallut une seconde à Chance pour prendre sa décision. Comme il s'imaginait que Tracker avait déjà accepté, il n'avait guère le choix.

Sophie alluma le gaz sous la bouilloire.

— Je vais faire du café. En voudras-tu, Noah ?

Elle pivota vers lui. Il se tordait nerveusement les mains. Il croisa son regard et détourna aussitôt le sien.

— Que se passe-t-il ?

Il fit deux pas en direction de la fenêtre, puis revint vers le comptoir.

— Je ne sais pas comment le dire. Au début, je ne voulais rien dire, je pensais même m'être trompé. Mais avant de partir, j'ai fait le tour de la boutique, vite fait, pour vérifier. Je savais bien que ça ne me regardait pas, mais… un homme est mort.

— Si tu sais quoi que ce soit, il faut en parler à la police.

— Je ne sais rien de la mort de M. Landry.

Il était tellement nerveux que Sophie fit le tour du comptoir, lui prit les mains. Cela faisait un bon moment qu'ils se connaissaient, et c'était son amour des belles choses qui l'avait convaincue de l'embaucher. Dès les premières semaines, elle avait découvert qu'il avait une prodigieuse mémoire photographique, aussi bien des gens que de ce qu'elle avait en magasin.

— Noah, personne ne pense que tu puisses être impliqué dans cette histoire. J'en suis persuadée. Qu'as-tu si peur de me dire ?

— Je me fais peut-être une montagne de rien, mais en général, tu me préviens quand tu mets quelque chose de côté.

— Quoi donc ?

— Il manque un objet dans la liste d'expédition d'hier. Tu l'as coché comme arrivé, mais il n'est nulle part dans le magasin. J'ai vérifié.

Elle laissa échapper un soupir de soulagement.

— Le cheval en céramique. Je l'ai monté ici et déballé moi-même.

— Seigneur Dieu, voilà que je passe pour un imbécile. Quand j'ai lu le journal ce matin, tous les scénarios possibles me sont passés par la tête. J'ai cru que, peut-être, M. Landry l'avait pris, ou cet ami de ton frère. J'ai même soupçonné M. Mitchell. On n'avait jamais eu autant de monde pour nous aider à déballer une livraison.

— Eh bien, tu peux te détendre, à présent. Le cheval est là, sur l'étagère du haut.

Noah alla examiner sa collection pendant qu'elle dosait le café et versait l'eau chaude.

— Lequel est-ce ? s'enquit Noah.

— Celui du milieu. Je vais te montrer.

Elle n'avait pas fait trois pas que la vitre de la fenêtre derrière elle explosait. D'instinct, elle s'accroupit derrière le comptoir. Une balle siffla avant d'aller se ficher dans le plan de travail.

— Noah, fiche le camp d'ici.

Il disparaissait déjà par la porte lorsqu'une autre vitre vola en éclats. Non, c'était la cafetière. Les premières gouttes brûlantes coulèrent sur son cou, et elle entendit des pas pressés dans l'escalier.

Tracker parvint au deuxième étage à temps pour voir quelqu'un sortir en trombe de chez Sophie. Noah.

— Sophie ! appela-t-il.

— N'entre pas ! cria-t-elle.

— On nous tire dessus, lança Noah.

En passant, Tracker le poussa à plat ventre par terre.

— Restez là, mains sur la tête.

Puis il risqua un œil dans l'appartement. Le soulagement le gagna quand il aperçut Sophie assise au pied du comptoir de la cuisine. Puis il comprit qu'elle était bloquée. Si jamais elle faisait un geste, quiconque tirait l'aurait dans sa ligne de mire. Pour l'instant, elle ne craignait rien.

Repoussant un accès de rage, il sortit son arme, plaqua le dos contre le mur et entreprit de se déplacer vers la fenêtre.

— Fais attention, le prévint-elle.

— T'inquiète.

Mais justement, il n'avait pas fait assez attention, puisqu'on avait pu approcher suffisamment pour tenter de la tuer. Plus tard, il se permettrait une bonne crise de colère, mais pour l'instant il devait garder la tête froide. Il revit en esprit les magasins situés de l'autre côté de la rue. Il avait, dans le temps, suffisamment surveillé Antiquités pour se souvenir précisément des alentours. Le bâtiment de deux étages, en face de la boutique, avait un toit plat, et il y avait gros à parier que le tueur s'était embusqué là.

En atteignant la fenêtre, il s'adressa à elle.

— Il va falloir que tu fasses quelque chose pour moi.

— J'espère qu'il n'y aura pas de gage.

Il hocha la tête. Le moment n'était pas à la plaisanterie.

— Quoi qu'il arrive, tu ne bouges pas. Tu me le promets ?

— Bien sûr.

Totalement concentré, il revit la rangée de magasins sur le trottoir opposé et s'efforça de se remémorer tous les détails possibles. Un bref coup d'œil devrait suffire, car le type en face devait avoir un fusil à lunette. Lui n'avait que son revolver, et il aurait donc besoin de quelques secondes pour viser.

Il inspira profondément et se pencha. Il se redressait déjà quand une balle siffla près de sa joue et se logea dans le mur, à quelques centimètres de lui.

— Tout va bien. Ne bouge pas.

Collé contre le mur, il repassa dans son esprit la scène qu'il venait juste de voir. Autrement dit, un reflet de soleil sur du métal, à la droite du toit. Il avait aussi eu le temps d'apercevoir Natalie Gibbs pénétrant dans le magasin en dessous. Moralité : elle avait également repéré le tireur.

Il prit le temps d'évaluer quelques scénarios possibles. Comme il ne pourrait tirer qu'une balle, il allait lui falloir un leurre.

— Sophie, j'ai besoin que tu fasses autre chose.

— Ça va te coûter cher.

Nom de nom, cette femme avait un sacré sang-froid. Quand tout serait terminé, elle aurait droit à un énorme câlin.

— Enlève ton T-shirt.

— Tracker, je ne pense pas que ce soit le moment idéal pour réclamer une récré-sexe.

Cette fois-ci, il ne put s'empêcher de sourire.

— Je m'en souviendrai plus tard. Dis-moi simplement quand tu l'auras enlevé. Je vais compter jusqu'à trois. A trois, agite-le au-dessus du comptoir.

— T-shirt enlevé, dit-elle.

— Un... deux... trois !

Faisant de nouveau face à la fenêtre, il pointa son arme vers le toit. A l'instant où le tireur levait son fusil, il fit feu par trois fois. Le fusil se dressa vers le ciel avant de tomber sur le toit en même temps que l'homme qui le tenait.

— Tracker ?

— Tout va bien. Maintenant.

Sophie jaillit alors de dessous le comptoir et lui tomba dans les bras. Aussitôt, la peur qu'il avait repoussée si fort revint en force. Il l'étreignit contre lui, lui caressa les cheveux.

— Tout va bien, princesse, répéta-t-il en embrassant sa tempe.

A travers la vitrine de la Beacham Art Galerie, Sophie regardait Tracker discuter âprement avec l'inspecteur Ramsey, tandis que Natalie Gibbs surveillait les deux hommes en blanc qui embarquaient le tireur dans une ambulance. Deux voitures de patrouille, gyrophares allumés, étaient arrêtées n'importe comment dans la rue. Un peu plus tôt, elle avait vu deux policiers en uniforme charger Noah dans une voiture pour le ramener chez lui. Jamais elle ne l'avait vu aussi effrayé. Il pouvait à peine marcher.

— Ça parait incroyable, dit-elle à Chance, debout près d'elle. Je sais que tout cela est bien réel, mais si je n'avais pas les jambes en coton, je jurerais que je viens d'assister au tournage d'un épisode d'*Au Nom de la Loi*.

— C'est malheureusement réel, répondit-il en lui tendant un café.

Elle avait l'impression d'évoluer dans le brouillard depuis l'instant où la vitre avait explosé, derrière elle. La peur ne l'avait assaillie que lorsqu'elle avait entendu monter Tracker. Elle porta une main à sa tempe. Il fallait arrêter de penser à cela, arrêter de revivre ces instants où elle avait compris qu'il allait risquer sa vie pour sauver la sienne. Arrêter de penser qu'elle pourrait le perdre. Il allait bien et elle aussi.

Dans la rue, Natalie Gibbs grimpa dans l'ambulance. Tracker repoussa Ramsey et allait grimper derrière elle quand deux policiers en uniforme l'en empêchèrent.

— Tu as raison, commenta Chance, c'est un peu comme si on regardait un film policier à la télé.

— C'était un tueur à gages, n'est-ce pas ? Tracker veut savoir qui l'a engagé, et moi aussi, dit Sophie, posant sa tasse pour gagner la porte.

Chance lui barra prestement le chemin.

— J'ai pour mission de te garder ici. Il est hors de question que tu serves encore de cible.

— Comment ça, pour *mission ?* Depuis quand t'es-tu mis d'accord avec Tracker et la police de Washington ?

— Depuis que Tracker m'a promis de m'écorcher vif si je te laisse sortir de la galerie, répondit-il en souriant. J'ai une grande affection pour ma peau, et tu n'as aucune raison de te mettre en danger bêtement, alors que tu disposes d'au moins trois personnes extrêmement compétentes pour veiller sur toi.

— Oui, maugréa-t-elle. Quel heureux hasard, n'est-ce pas ?

Trois personnes compétentes *veillaient* effectivement sur elle. Soudain, tout se mélangea dans sa tête. Puis tout se remit progressivement en place.

Landry tué dans sa boutique, un tueur essayant de la tuer chez elle… Chaque fois, Tracker était là. Et la police pas loin.

Sophie croyait à la chance, de même qu'elle pensait les coïncidences tout à fait possibles. Mais, dernièrement, il y avait peut-être un peu trop des deux dans son existence.

Surtout quand elle vit Tracker recommencer à discuter avec l'inspecteur Ramsey.

— Les barrages de police sont néfastes au commerce.

Elle se retourna et aperçut Meryl Beacham qui s'avançait de sa démarche féline.

— Carter, pourquoi ne pas justifier tes mirifiques émoluments en allant les prier de les retirer ? Nous n'aurons aucun chaland tant qu'ils bloqueront la rue.

— A tes ordres, chef. Je vais les amadouer à grand renfort de café, répondit Chance en attrapant sa cafetière.

— Bonté divine, que se passe-t-il, Sophie ? s'enquit Meryl dès qu'elles furent seules. On vous aurait tiré dessus, selon ce qu'on m'a dit ?

Sophie étudia son interlocutrice. Elle la connaissait très peu, en dépit de la proximité de leurs commerces, et elle nota une certaine inquiétude sur ses traits.

— En effet, répondit-elle. Mais j'ignore pourquoi.

— Vous avez la tête de quelqu'un à qui un verre ferait du bien, dit Meryl.

Elle alla prendre une bouteille et deux verres dans un petit secrétaire.

— Puis-je vous offrir une goutte de cet excellent cognac ?

Sophie se rapprocha et prit le verre que lui tendait sa voisine. La brûlure de l'alcool lui fit le plus grand bien.

— Inutile de me dire ce qui se passe. Nous ne sommes pas intimes, et je sais que vous vivez pour votre travail. Mais à votre place, je prendrais quelques vacances le temps que la police règle cette affaire. Les catastrophes arrivent toujours par trois, et il y a déjà eu deux meurtres en relation avec Antiquités.

— Deux meu… Mais de quoi parlez-vous ?

— Oui. John Landry, et puis cette femme, il y a un mois, qui a été tuée alors qu'elle sortait de chez vous. Vous étiez en Angleterre, à cette époque, il me semble. Mais la police a dû vous interroger.

— Oui, répondit Sophie en posant son verre. Je n'avais tout simplement pas fait le rapprochement. Dites-moi, pourriez-vous me rendre un service ?

— Bien sûr.

— Si on me demande, dites que je suis au magasin.

11.

Installée devant la table de l'arrière-boutique, Sophie examinait les bons de commande, bons de livraison et reçus de vente. Il ne lui fallut pas plus de cinq minutes pour trouver le dossier qu'elle cherchait.

Voilà. 15 mai. Jayne Childress, un vase en céramique. Elle n'eut aucun mal à se souvenir de l'objet, puisqu'il provenait de la petite boutique qu'elle avait récemment découverte en Angleterre. Selon Noah, pratiquement tout l'arrivage était parti comme des petits pains, et elle était retournée sur place pour négocier un accord d'exclusivité avec Matt Draper. C'était de là que provenait le cheval en céramique, et aussi le saladier qu'avait acheté Millie Langford-Hughes.

Mains à plat sur la table, elle contempla le reçu, pensive. C'était à sa deuxième visite au magasin qu'elle avait connu John Landry. Maintenant, c'était Chris Chandler qui lui demandait de lui réserver toutes les poteries provenant de cette échoppe. Chris qui prétendait acheter sans voir et qui, de plus, voulait plus particulièrement des pièces équestres ou équines ? Mais bon sang, que se passait-il ?

Elle referma le dossier, le rangea et s'efforça de réfléchir posément. Trop de coïncidences équivalent généralement à un schéma. N'était-ce justement pas cela qui la tracassait à propos de Tracker ? Il avait pour travail de la protéger. Des chasseurs de dot, des kidnappeurs, des… de ce qui pouvait se passer dans son magasin ? Là aussi, il y avait un scénario possible.

La compréhension la frappa alors, avec une telle force qu'elle vacilla et dut se raccrocher au bord de la table. Lucas était en déplacement professionnel et avait dû, elle ignorait comment, avoir vent de ce qui se tramait ici. Donc, après une année passée à l'éviter, Tracker était soudainement devenu son… amant. Quel meilleur moyen pour l'approcher et assurer sa sécurité ?

Mais bon sang de bonsoir, pourquoi n'avait-elle pas soupçonné un seul instant qu'il puisse n'avoir une relation avec elle que pour le travail ?

La douleur fut si intense qu'elle lui coupa la respiration. Pliée en deux au-dessus de la table, elle s'efforça de retrouver peu à peu son souffle. Il ne fallait pas penser à lui maintenant, mais se concentrer sur Antiquités. Son commerce, c'était toute sa vie, la seule chose dont elle fût fière. Si les gens se mettaient à mourir parce qu'ils avaient été en rapport avec son magasin…

Elle s'obligea à les revoir en esprit : John Landry, Jayne Childress. Sophie Wainright ?

Il fallait qu'elle découvre de quoi il retournait.

Même s'il avait envie de faire les cent pas, Tracker se força à l'immobilité tandis que Ramsey s'entretenait avec les hommes qui venaient d'emmener le tireur. Pour la première fois de sa vie, il laissait l'aspect personnel interférer dans son travail, et s'il ne parvenait pas à juguler sa peur, il serait totalement inefficace.

Chaque fois qu'il laissait vagabonder son esprit, il entendait le verre exploser. Puis la terreur montait, inexorable, tout comme elle l'avait fait alors qu'il escaladait cet escalier interminable menant à l'appartement.

Il jura intérieurement, pivota vers la vitrine, et tenta de se concentrer sur les objets qu'y avait disposés Sophie. Sur n'importe quoi qui puisse faire taire ce fracas de verre brisé. Une poupée de porcelaine aux traits délicats, semblable à une *princesse,* était installée sur une petite chaise sculptée.

Comment pouvait-il espérer réfléchir posément, alors que tout alentour lui rappelait Sophie ? Il allait détourner le regard quand son attention fut attirée par des dragons de céramique, en partie cachés par les plis du tissu de soie bleue disposé sur le sol. Il y en avait trois sous la chaise de la princesse.

Cette scène était tellement représentative de Sophie... si sophistiquée, si surprenante. L'œil du chaland était automatiquement attiré par la princesse sur son trône. Seule. Il l'avait toujours considérée comme une solitaire, et il commençait à se douter qu'elle aussi se voyait comme telle.

Du coin de l'œil, il vit approcher Chance.

— Où est-elle ? l'apostropha-t-il aussitôt.

— Du calme, elle discute avec Meryl. Ah, inspecteur, dit Chance quand Ramsey arriva. Je viens apporter des offrandes de paix de la part de mon employeuse. Elle voudrait savoir quand seront levées les barricades. Le meurtre et le chaos desservent le business.

Ramsey accepta la chope tendue et désigna deux agents en tenue.

— La circulation devrait être rétablie d'un instant à l'autre. Qu'il ne soit pas dit que la police de Washington est une entrave au commerce.

— Vous avez appris quelque chose sur le tireur ? s'enquit Tracker.

— Gibbs le cuisine en ce moment.

— J'aimerais bien lui dire deux mots, également, dit Tracker.

— Pas question. Vous ne voulez pas discuter, mais terminer le travail que vos balles n'ont pas fait. Si on peut tirer quelque chose de l'oiseau, Gibbs le fera. L'un des toubibs a dit au tireur qu'elle lui a sauvé la vie, répondit Ramsey en dévisageant Tracker. Et elle l'a probablement fait. Vous êtes un excellent tireur, surtout en considérant que vous n'aviez qu'une arme de poing.

Sans répondre, Tracker tourna les yeux vers la galerie, mais ne discerna que deux silhouettes au travers de la vitrine. Sophie était en sécurité, et lui n'avait pas le choix s'il voulait tenir les dragons qui la menaçaient à distance.

— Je n'ai encore rien dit à Sophie concernant le trafic. J'attendais le bon moment pour le faire, précisa-t-il en reportant les yeux sur Chance. Maintenant je vais devoir lui dire tout. C'est son magasin, sa vie. Et elle a oublié d'être bête. Dès qu'elle aura récupéré du choc de la tentative d'assassinat, elle va commencer à additionner deux et deux, et puis elle va me flanquer à la porte, poursuivit-il en faisant face à Ramsey. Et c'est là que l'inspecteur Gibbs devra prendre le relais. J'ai une maison de campagne où elle pourra emmener Sophie. Noah et moi, nous nous occuperons de la livraison de demain.

— Cela me paraît tout à fait raisonnable, acquiesça Ramsey.

Sophie fit usage du nouveau code que lui avait donné l'agent de sécurité et pénétra dans son appartement. Elle avait cru s'être blindée, mais rien n'y fit. Son estomac se retourna en voyant les planches clouées sur la fenêtre. On avait balayé les éclats de verre. Elle tourna le regard vers l'étagère. Le cheval s'y trouvait, au même endroit que lorsqu'elle avait voulu le montrer à Noah.

Tout en repoussant le souvenir de ce qui avait suivi, elle s'approcha et examina la figurine. La facture en était excellente, et l'artiste était parvenu à rendre la personnalité, si l'on pouvait dire, de l'animal. Il suffisait de le regarder pour retrouver la sensation de galoper en toute liberté.

Elle le prit et l'examina sous toutes les coutures, perplexe. Si elle l'avait laissé au magasin au lieu de le garder pour elle, elle l'aurait étiqueté deux cent cinquante dollars. Pas de quoi justifier un assassinat. Encore moins deux.

Un bruit de pas dans l'escalier la fit sursauter. Elle remit le cheval sur l'étagère et courait verrouiller la porte quand Tracker plaqua la main contre le vantail et l'en empêcha.

— Je t'avais demandé de rester à la galerie. Comment puis-je assurer ta protection alors que je ne sais jamais ce que tu vas faire ?

Il aurait aussi bien pu lui donner un coup de poing, mais cette fois la colère se mêla à la douleur.

Elle leva haut le menton.

— C'est pour cette raison que tu es ici, n'est-ce pas ? Pour me protéger. Et tu as utilisé tous les… moyens pour y parvenir.

— Sophie, je…

— J'ai raison, n'est-ce pas ? Tu n'as accepté notre aventure que parce qu'elle te permettait d'accomplir le travail pour lequel Lucas te paie : veiller sur sa petite sœur, qui est incapable de faire quelque chose correctement.

Il n'eut pas besoin de répondre, car la réponse, elle la lut sur ses traits, dans ses yeux. Le cœur pris dans un étau, elle se demanda si elle arriverait un jour à respirer normalement. Pire encore, elle savait que les larmes menaçaient.

— Merde ! s'écria-t-il en lui attrapant les épaules. Je me suis tenu loin de toi pendant un an, mais tu étais en danger, en plus grand danger que tu ne le penses. Que voulais-tu que je fasse ? Que je m'en désintéresse ?

Elle plaqua les deux mains sur son torse et le repoussa de toutes ses forces. Autant essayer de déplacer un mur. Puis elle se rendit compte qu'il l'avait soulevée de terre, et qu'elle avait les pieds ballants. Ainsi, elle put planter ses yeux dans les siens.

— Le désintérêt me paraît être ta spécialité. Tu n'as eu aucun mal à en faire preuve, en Californie, l'an dernier. Et tu n'en auras pas non plus cette fois, dès que le petit problème de ma boutique sera réglé.

— Le *petit* problème ? répéta-t-il en la secouant un peu. On vient à peine d'essayer de t'assassiner, et tu appelles ça un *petit* problème ? J'ai promis à ton frère d'assurer ta sécurité.

— Et tu as décidé de le faire en grimpant dans mon lit.

Il la secoua encore.

— Cela ne devait pas arriver.

— Je ne voudrais pas vous interrompre..., intervint Natalie Gibbs en pénétrant dans la pièce.

Deux regards la fusillèrent.

Natalie leva les mains et recula sur le palier.

— Faites comme si je n'étais pas venue.

Tracker reposa brutalement Sophie, et elle découvrit alors qu'elle avait les jambes flageolantes. Ah, non, elle n'allait pas pleurer, en plus ! songea-t-elle, sentant une larme glisser sur sa joue.

— Sophie, non. Ce n'était pas... je n'étais pas... tu étais en danger. Je t'en prie, ne pleure pas !

Elle bloqua les genoux et lui enfonça un doigt dans la poitrine.

— Je fais ce que je veux. Deux personnes en relation avec mon magasin sont mortes, une autre m'a tiré dessus. Ce que je veux savoir, c'est pourquoi tu ne m'as rien dit dès le départ. Je ne suis pas idiote, tu sais.

— Non, répondit-il. Et tu as raison, peut-être qu'on aurait dû tout te dire. Mais tu as un caractère qui te pousse parfois à prendre des risques, et ni Lucas ni moi ne savions comment tu risquais de réagir. Après l'histoire de l'an dernier et ton kidnapping final, nous... j'ai décidé qu'il serait peut-être plus sûr de ne rien te dire.

— Lucas et toi ne pouvez gouverner ma vie.

En ce qui concernait l'an dernier, il avait marqué un point. Mais cela ne fit que l'enflammer davantage. Sans même y penser, elle visa sa mâchoire de son poing fermé. Mais il fut plus rapide.

Il saisit son poignet, bloqua son poing, attrapant au passage son autre main.

— Je ne suis pas aussi facile à assommer que ton frère. Et je ne me battrai pas à la loyale.

Elle leva le menton.

— Allons bon.

L'espace d'un instant, elle vit quelque chose dans son regard. De la douleur, peut-être, mais sa colère n'était pas encore apaisée.

— Bon d'accord, j'ai mon caractère, et je prends parfois des risques. Mais t'est-il jamais venu à l'esprit que mes sautes d'humeur pourraient bien être dues à la manière dont mon frère et toi me traitez ? L'année dernière, tu aurais pu me dire que tu enquêtais sur Bradley. Et, cette fois, tu aurais dû me prévenir également. C'est mon magasin. As-tu seulement idée de ce que représente Antiquités pour moi ?

— Oui.

Elle cilla, prise de court.

— Oui ?

Il relâcha ses mains et fit prudemment un pas en arrière.

— T'imagines-tu que j'ai pu te regarder vivre depuis deux jours sans comprendre la valeur qu'a cet endroit pour toi ? Je ne suis pas plus idiot que toi, tu sais.

— Tu aurais parfaitement pu me duper.

Il fit un nouveau pas en arrière, et elle sentit une deuxième larme suivre la première. Il leva une main vers son visage, mais la laissa en suspens.

— Je t'en supplie, ne pleure pas. Je vais veiller sur toi. Dans quelques minutes, celui que tu connais sous le nom de Carter Mitchell va venir tout t'expliquer. Et puis l'inspecteur Gibbs va rester avec toi vingt-quatre heures sur vingt-quatre jusqu'à ce que tout soit terminé. Je ne serai pas là, mais je veux que tu me donnes ta parole que tu coopéreras.

Non, songea Sophie. Son cœur ne se brisait pas. Comment cela aurait-il été possible alors que cet homme venait de le lui arracher ?

Tracker gagna le comptoir et se tourna vers elle. Il lui parlait toujours, puisqu'elle voyait ses lèvres remuer, mais elle n'entendait rien. Seul comptait le fait qu'il allait encore une fois disparaître. Et il n'avait pas nié la moindre de ses accusations. Il était effectivement devenu son amant pour faire son travail. Et lorsque tout serait terminé, il regagnerait ses ombres chéries.

— Maison à la campagne. Elle te plaira, et demain…

Qu'attendait-elle d'un type arrogant, exaspérant, qui ne voulait pas d'elle ?

— … ferais mieux d'emballer quelques affaires.

Mais pourquoi s'était-elle permis d'espérer que quelque chose changerait, que cet homme serait différent ? Pourquoi, oui, pourquoi était-elle tombée amoureuse de Tracker McGuire ?

Tombée amoureuse ? Elle en eut de nouveau les genoux en flanelle. Soudain, une peur panique la saisit de ne pas réussir à regagner sa chambre sans s'écrouler. Or, elle avait besoin d'être seule, de réfléchir un peu. Elle fit un pas.

— Sophie…

Il y avait de la préoccupation dans son regard.

— Je vais prendre une douche.

Très lentement, elle avança à pas prudents vers sa chambre et en referma la porte.

Et voilà, elle était amoureuse de Tracker. Mais pourquoi n'avait-elle rien vu venir ? Cela avait commencé quand il l'avait sauvée, dans ce dirigeable. Ou peut-être… cela datait-il de ce tout premier jour, dans le bureau de Lucas, quand il l'avait tenue dans ses bras.

Une fois dévêtue, elle ouvrit le robinet de la douche et laissa le jet glacé la surprendre. D'accord, elle l'aimait. Si elle se le disait et se le redisait, peut-être que son estomac cesserait de faire des pirouettes, peut-être qu'elle pourrait l'accepter. Et essayer de savoir que faire de cet amour.

Elle régla le jet à une température plus acceptable, dosa du shampooing dans sa paume et s'efforça de réfléchir. S'attendait-il vraiment à ce qu'elle parte à la campagne avec l'inspecteur Gibbs pendant qu'il s'occupait de la sauver et de disparaître encore une fois de sa vie ?

On peut rêver.

En tout cas, ses atermoiements lui avaient valu une aventure d'un an avec un amant qui n'existait qu'en rêve. Maintenant qu'elle en avait un vrai de vrai, elle n'allait certes pas y renoncer comme ça. Pas question. Elle leva la tête sous le jet et laissa l'eau ruisseler sur son visage.

En affaires, elle savait qu'il y avait plus d'une manière de négocier un accord. Règle numéro un : connaître le client. Eh bien, elle connaissait Tracker infiniment mieux que deux jours plus tôt. D'une part, il se méfiait des liens trop intimes. Un point commun, déjà. Ensuite, il avait honte de son passé. Elle-même n'était pas particulièrement fière de tout ce qu'elle avait fait. Enfin, il pensait ne pas être du même milieu qu'elle.

Les hommes. Elle ferma les robinets, s'enveloppa dans un drap de bain et se regarda dans le miroir. Les amants oniriques sont plus faciles à manier que les vrais. Ils ne vous rejettent pas, ne vous frustrent pas, ne vous font pas devenir chèvre. Bon, elle avait eu Tracker dans son lit, et la question était de savoir comment l'y garder. Pour cela, tous les coups étaient permis.

Ah, et puis il y avait encore un petit problème, avec celui ou celle qui essayait de la tuer.

Le regard fixé sur la porte fermée de la chambre de Sophie, Tracker songea qu'il n'avait jamais eu à faire une chose aussi difficile que de rester là, à la regarder s'en aller. Il ne se souvenait pas avoir déjà senti ce froid dans son ventre, ce feu dans son cœur. Mieux valait la laisser croire ce qu'elle croyait : que leur aventure n'avait été qu'un prétexte pour lui. C'était le meilleur moyen de l'emmener en sécurité. Alors, il pourrait réfléchir sainement.

Il sortit son portable et prit les dispositions nécessaires. Une fois cela terminé, son esprit se remit à bouillonner.

Il l'avait blessée, mais elle s'en remettrait. Jamais il n'avait connu quelqu'un ayant autant de capacités de récupération qu'elle. Il n'avait pas vu d'autre moyen que de la repousser pour pouvoir la protéger. Quand elle était là, elle lui court-circuitait les neurones. Ne jamais oublier qu'elle avait failli être tuée. Si jamais il la perdait…

La terreur qui s'était emparée de lui quand il avait escaladé quatre à quatre l'escalier revint en force, boule glacée dans son estomac. Là où le café avait coulé, il voyait son sang, il la voyait, aussi inerte que l'avait été John Landry. Il se frotta les yeux dans l'espoir de chasser cette image.

Puis il se détourna, et constata que Natalie Gibbs était de retour avec Chance.

— Je dispose d'environ vingt minutes avant de devoir retourner à la galerie, l'informa Chance.

— Je tiens à sortir Sophie de ce guêpier, dit Tracker à Natalie. Elle séjournera dans ma maison, à la campagne jusqu'à ce que nous pincions le salaud qui se cache derrière tout ceci. Je tiens à ce que vous y soyez avec elle.

Natalie acquiesça.

— Ce n'est pas moi qui tenterai de t'en dissuader, acquiesça également Chance. Je ne comprends plus rien à rien. Si celui qui tire les ficelles voulait que tout se passe comme d'habitude à la boutique, pourquoi essayer de la tuer chez elle ?

— Bonne question, répondit Tracker.

S'il n'avait pas eu l'esprit aussi préoccupé par Sophie, il se la serait posée plus tôt.

— Peut-être a-t-il déjà obtenu la troisième pièce et il fait le ménage, comme dans le Connecticut.

— A moins qu'il ne l'ait pas récupérée et qu'il sache que vous resserrez l'étau, suggéra Natalie. Si c'est le cas, alors Sophie doit représenter une telle menace qu'il prend le risque d'attirer l'attention sur la boutique.

— Elle n'a pas tort, commenta Chance.

— Ramsey avait raison, déclara Tracker. Vous êtes la « Sophie-sitter » idéale.

— Un détail, j'ai les oreilles qui tintent dès qu'on parle de moi dans mon dos, dit la voix de Sophie, derrière lui.

Tracker pivota vers elle, et la regarder fut une erreur. Quelque distance qu'il ait pu créer en passant ses coups de fil, elle disparut à l'instant où il l'aperçut sur le seuil de sa chambre. Pieds nus, en jean et T-shirt, les cheveux encore humides de la douche, elle parvenait encore à paraître à la fois vulnérable et magistralement sûre d'elle. Il laissa échapper le souffle qu'il n'était pas conscient d'avoir retenu quand elle dirigea le tir sur Chance.

— Tracker m'a dit que je te connaissais sous le nom de Carter Mitchell. Serait-ce trop que te demander qui tu es *vraiment ?*

Natalie Gibbs réprima un rire, mais Chance demeura impassible.

—Ton frère et Tracker savent que je m'appelle Chance, et Mitchell est un nom de famille comme un autre. Dernièrement, je me suis occupé d'enquêter pour le compte d'assurances, et John Landry travaillait avec moi.

Alors que Sophie écoutait Chance lui faire un exposé des événements, Tracker ne put empêcher son admiration pour elle de croître. Le seul signe de tension perceptible en elle se voyait à ses mains, dont les phalanges blanchissaient peu à peu. A part cela, elle aurait très bien pu être en train d'écouter la météo. Il savait qu'elle avait mis toute son énergie, tout son cœur dans la création de son affaire, et il ne devait pas être facile d'admettre qu'une tierce personne s'en soit servie, et d'elle également, pour importer frauduleusement des objets volés. Pour couronner le tout, quelqu'un voulait sa mort.

Quand Chance se tut, elle continua de le bombarder de questions. Elle n'avait pas regardé Tracker ni tourné la tête vers lui depuis qu'elle était arrivée dans la pièce. Bizarre. Il aurait préféré un autre coup de poing dans la figure plutôt que ce dos tourné.

— J'ai encore une question, dit-elle. Si l'inspecteur Gibbs a raison, et que notre personnage X n'a pas la pièce, comment peut-il espérer la récupérer si je suis morte et le magasin fermé ?

— Il a quelqu'un dans la place, dit Tracker.

— Pas Noah, s'écria Sophie en se tournant vers lui.

— Pas besoin que ce soit lui, suggéra Natalie.

Trois personnes la regardèrent.

— Cela pourrait être quelqu'un qui pense avoir la possibilité d'accéder aux objets livrés, par le biais de Noah. N'importe quel client habituel pourrait facilement le manipuler. Ce qui inclut dans la liste Chris Chandler et ses clients. Vous disparue, Noah n'aurait plus les idées claires. Peut-être que notre homme a vu là le plus sûr moyen d'obtenir ce qu'il veut.

— Ce qui nous laisse avec notre première liste de suspects, dit Chance. Et nous ne savons toujours pas où est la pièce.

— Je crois que là, je peux vous aider, intervint alors Sophie en disparaissant dans la chambre.

Elle en revint, peu de temps après, munie d'un flacon et de coton.

— Du dissolvant, précisa-t-elle. C'est génial pour enlever la colle.

Elle attrapa alors un des chevaux de sa collection et le posa sur la table basse. Puis elle s'agenouilla et entreprit de travailler sur le sceau, à la base de la statuette.

— Je peux me tromper, mais ce cheval faisait partie de la livraison d'hier. Comme je le voulais pour ma collection, je l'ai monté directement.

Tracker la regarda sans mot dire.

— Si quelqu'un avait eu la bonté de me tenir au courant, poursuivit-elle, je l'aurais peut-être compris plus tôt.

Une fois le socle dégagé, elle regarda à l'intérieur de la statuette.

— Il y a quelque chose dedans, fixé avec du scotch.

— Laisse-moi jeter un coup d'œil, dit Chance en se penchant. Oui, je crois bien qu'on a touché le gros lot.

En voyant le regard triomphant que lui décochait Sophie, Tracker comprit qu'il ne serait pas aussi facile que prévu de l'expédier à la campagne.

Pendant le temps qui leur fut nécessaire pour extraire la pièce du cheval, Sophie réfléchit à toute allure.

— Jolie petite chose, pas vrai ? s'exclama Chance.

— Dire que c'est à cause de cette pièce que des gens sont morts…, réfléchit-elle à voix haute.

— Selon la légende, les trois pièces sont antérieures de plusieurs millénaires à Jésus-Christ, et sont uniques en leur genre. Elles appartenaient aux gouverneurs de trois cités sur la côte méditerranéenne. Tant que chaque gouverneur était en possession de sa pièce, les trois villes prospéraient. Mais la cupidité ne tarda pas à pointer son nez, et ils commencèrent à se voler mutuellement leurs pièces, en partant du principe que si l'une des trois apportait la prospérité, alors en avoir deux, ou trois serait source d'encore plus de richesses. Certains chercheurs prétendent que le premier à perdre la sienne fut le gouverneur de l'Atlantide.

— Pourquoi prendre la peine de les dissimuler dans des statuettes et des vases ? s'étonna Sophie. On pourrait les cacher au milieu d'autres, dans un porte-monnaie.

— Les faire circuler de boutique en boutique les rend moins faciles à pister, fit remarquer Chance. De plus, je pense que le Maître des Marionnettes aime le frisson qui accompagne le jeu. C'est ainsi qu'il arrive à manipuler les gens comme des marionnettes.

— Et qu'il les tue, ajouta Tracker. Je crois qu'il aime également cet aspect de la partie.

— Mais pourquoi moi ? insista Sophie. Pourquoi, parmi toutes les possibilités du monde, choisir Antiquités ?

Soudain, Tracker redressa la tête, le regard fixe.

— Elle a raison. Il a certainement une raison précise pour avoir choisi Antiquités. La première pièce a été expédiée dans le Connecticut, et quelque chose s'y est apparemment mal passé, puisqu'il a dû incendier le magasin. Alors peut-être qu'il a opté pour une boutique de Georgetown parce que c'était plus pratique. Il veut peut-être superviser lui-même ses pantins, à présent. Sophie, il est fort possible que tu connaisses celui que nous cherchons. Et c'est pour cela qu'il essaye de te supprimer.

— Je n'arrive pas à imaginer que je le connais, mais je sais quelque chose à propos de ce cheval. Le vase qu'avait acheté Jayne Childress provenait du même céramiste. Je peux vous donner son nom.

Chance laissa échapper un sifflement admiratif.

— Nous savions pour la boutique, puisque c'est là que Landry t'avait mis le grappin dessus. En revanche, jamais nous n'avons pensé à l'artiste. Il faut immédiatement que je passe un coup de fil. Il fait peut-être partie de la machination.

Sophie garda les yeux braqués sur Tracker. Il s'attendait à un éclat, mais elle ne comptait pas lui faire ce cadeau. A la place, il aurait droit à de la logique pure.

— Si j'avais su tout cela, je n'aurais pas monté le cheval ici, hier, et peut-être que John ne serait pas mort.

Dans le silence qui suivit sa déclaration, elle se leva et alla se coller nez à nez avec lui.

— Et si tu te figures que tu vas m'expédier à la campagne pendant que Chance et toi attrapez seuls le gangster, tu te fourres le doigt dans l'œil jusqu'au coude !

— Tu pars à la campagne.

Elle leva le menton.

— Tu peux m'y envoyer. Mais je pense que les talents de l'inspecteur Gibbs seraient bien mieux utilisés ici qu'en me servant de nounou. Quant à mes talents, à moi, qu'est-ce que tu en fais ? Si ta théorie est exacte et que je parviens à deviner qui se cache sous le personnage du Maître des Marionnettes, tu vas avoir besoin de moi ici.

— Bon sang, Sophie, je veux que tu t'en ailles pour pouvoir réfléchir un peu. Dans ma maison, je peux te protéger, s'enflamma-t-il en gesticulant vers ce qui restait de la fenêtre. Tu n'as pas compris ? Ici, je ne peux pas !

Ce fut l'éclair de peur qu'elle vit dans ses yeux qui l'empêcha de vouloir, encore une fois, lui balancer son poing dans la figure. Elle se contenta d'inspirer à fond.

— A partir du moment où nous n'arrivons pas à trouver un accord en discutant raisonnablement, il ne reste plus qu'une solution, dit-elle, sortant sa pièce de sa poche. Face, je vais à la campagne, mais avec toi comme baby-sitter à la place de l'inspecteur Gibbs.

Il lui jeta un regard en coin.

— Et pile ?

— Pile, je pars avec l'inspecteur, bien sûr.

— Et tu y resteras ?

— Evidemment.

L'espace d'un instant, il régna un tel silence dans l'appartement qu'on entendit le bruit d'une perceuse dans la boutique voisine.

— D'accord. Lance la pièce.

Elle la jeta en l'air, la rattrapa et la plaqua sur le dos de sa main.

— Face. Je crois que nous allons partir tous les deux à la campagne.

12.

Tracker était passé en mode protecteur absolu. Ils étaient partis depuis une demi-heure et il n'avait pas adressé plus de trois mots à Sophie.

Il n'avait pas perdu de temps pour la faire sortir de Washington. Un de ses agents de sécurité était venu les chercher, et au bout d'un long et sinueux trajet destiné à repérer et semer d'éventuelles filatures, ils avaient pénétré dans un parking souterrain, où ils avaient pris une autre voiture, une puissante décapotable grise.

Elle lui jeta un coup d'œil furtif. De profil, il avait l'expression figée d'un guerrier. Cinq ou six cents ans plus tôt, il aurait chevauché un imposant étalon noir sur le champ de bataille. Aujourd'hui, elle l'imaginait très bien dans un de ces véhicules tout terrain, bourrés de gadgets. Elle observa la garniture de cuir blanc de la voiture, tout premier indice indiquant que Tracker McGuire avait en lui un petit côté James Bond.

Pendant un certain temps, les dispositions méthodiques qu'il avait prises pour partir avaient ravivé les événements survenus dans son magasin. Mais à présent, avec le vent dans les cheveux et le crépuscule baignant l'horizon, elle avait envie de les oublier un peu.

Et quel meilleur moyen pour ce faire que de se concentrer sur l'homme assis près d'elle ? Comment allait-elle s'y prendre pour le faire passer du mode professionnel à celui d'amant retrouvé ?

Grace Kelly n'avait pas rencontré de grandes difficultés quand elle avait attiré Cary Grant dans les collines de Monte-Carlo.

Au détour d'un virage, elle aperçut une vallée en contrebas, tapissée d'un patchwork de champs bruns et verts scindé en deux par un ruban argenté.

— Arrête-toi.

— On a un bien meilleur point de vue un peu plus loin.

A sa grande surprise, elle le vit engager la voiture dans un chemin de terre qui serpentait à flanc de colline. Les arbres l'empêchèrent de contempler la vallée jusqu'à ce qu'ils débouchent soudain dans une clairière. Ce ne fut qu'alors qu'il immobilisa la voiture sur le bas-côté herbu et coupa le contact. Quelques mètres plus loin, le terrain tombait à-pic, et Sophie s'approcha de la barrière pour admirer la vallée. On voyait également la route qu'ils avaient empruntée peu avant.

Elle ne se rendit compte que Tracker l'avait suivie que lorsqu'il lui dit :

— C'est un de mes endroits préférés.

— Pas étonnant, murmura-t-elle. C'est… époustouflant. Etre ici, au-dessus, a un côté magique.

— C'est ce que je me suis dit.

Elle lui jeta un regard interrogateur.

— Lucas m'a raconté que, petite fille, tu passais tout ton temps dans cette cabane construite dans un arbre, dans le jardin de la maison familiale.

— Là-haut, j'avais un tel sentiment de liberté, se souvint-elle à mi-voix. J'avais toujours l'impression que rien ne pouvait m'atteindre dans mon arbre.

— Et maintenant, cette liberté, tu la trouves dans ton magasin. Tu peux y être toi-même, dit-il, saisissant une mèche de ses cheveux qu'il fit glisser entre ses doigts. Nous allons découvrir qui se cache derrière cet infect trafic, et tu y seras de nouveau en sécurité. Je te le promets.

La combinaison de ce geste tendre et de cette compréhension l'émut profondément.

— Je croyais que tu étais furieux contre moi.

— Non, je le suis contre moi-même. Je ne devrais pas être ici, je devrais être en train de tout superviser à la boutique, répondit-il, laissant échapper un soupir de frustration. Je n'aurais jamais dû te laisser lancer la pièce.

— Je ne t'ai pas franchement laissé le choix.

Son œil s'assombrit.

— Non. Tu réduis le champ de mes opportunités depuis notre première rencontre.

Génial. D'autant qu'elle entendait bien le réduire encore.

— Puisque nous sommes coincés ici par la grâce d'une pièce, on peut rester, toi furieux contre toi et moi inquiète pour ma boutique. Ou alors… on pourrait respecter notre accord initial et reprendre là où nous nous étions arrêtés. Qu'en dis-tu ?

Il n'eut pas le temps de bloquer l'afflux d'émotions qui passa sur son visage. Désir, fringale, mais elle y vit aussi de la surprise. Soudain, elle comprit qu'il avait fini par s'attendre à ce qu'elle le quitte. Mais… pouvait-il en avoir aussi peur qu'elle ?

Tracker s'efforça désespérément d'y voir clair dans la confusion qui régnait dans sa tête et dans ses émotions. Il ne s'était pas attendu, n'avait pas prévu… Il l'avait blessée, déçue, et il n'aurait jamais pensé qu'elle puisse lui accorder son pardon, et encore moins cela. Elle lui offrait tout ce dont il rêvait, et il n'avait plus qu'à tendre la main pour le prendre.

— Va-t-il falloir que je relance la pièce ? s'énerva-t-elle.

La princesse était de retour, et il ne put réprimer un sourire.

— Non. Ma chance pourrait bien tourner. On reprend.

Elle plongea la main dans la poche de son jean.

— Tiens.

Il baissa les yeux vers la carte qu'elle lui tendait : un bon pour une récré-sexe à la demande.

— Je n'ai pas eu le temps d'emballer le reste, précisa-t-elle en lui jetant un regard accusateur. Tu ne m'as pas laissé le temps.

Même là-bas, alors qu'il venait de la blesser, elle avait eu l'intention de poursuivre leur accord, leur aventure ? Il en fut émerveillé.

— Eh bien ?

— Ici ? voulut-il savoir.

— Ici et maintenant.

Ce qu'il vit dans ses yeux balaya ses derniers doutes. Il ne resta plus que ce besoin élémentaire qui s'était emparé de lui dès l'instant où il l'avait connue. Elle était là, elle était à lui. Et lui, il la voulait tant qu'il en eut le souffle coupé.

— Dans la voiture ou sur l'herbe ?

— Les deux.

— Bonne idée.

Le son de son rire, rauque et sensuel, éradiqua ce qui lui restait de sang-froid, et il l'attira à lui. Les mains sur ses hanches, il la souleva, la plaqua contre lui, et elle enroula les jambes autour de ses reins. Eperdu, avide, il prit sa bouche tandis qu'elle refermait ses bras autour de son cou pour mieux se coller à lui.

Ce goût d'elle… Oh, lui qui s'était pratiquement persuadé ne plus jamais pouvoir le savourer. Il s'était presque convaincu qu'il ne la posséderait plus jamais. Et là, il dut reculer pour reprendre sa respiration, mais il revint aussitôt à sa bouche, vorace et désespéré.

— Je te veux. Sur l'herbe, sur la voiture, dit-elle, en ponctuant chaque mot d'un baiser ou d'une morsure. Encore, et encore.

La tête pleine de fantasmes, le sang en ébullition, il partit vers la voiture. Et il ne fut pas loin de s'écrouler sur les genoux avant d'arriver au but et de la poser sur le capot. Puis il se débattit avec ses vêtements, lui ôta son T-shirt et son soutien-gorge, défit son jean et glissa les doigts sur sa peau. Si chaude, palpitante et tremblante. Pour lui. Il crut se mettre à fondre tant le feu s'intensifia dans ses veines. Penché en avant, il parsema son ventre de baisers tout en faisant glisser jean et petite culotte le long de ses jambes. Les hanches arquées, elle s'offrit à la caresse de ses lèvres gourmandes. Il s'y attarda, la goûta, la caressa de la langue jusqu'à ce qu'elle crie son nom en atteignant l'orgasme.

Aveuglé de désir, il batailla avec son propre jean et le baissa.

— Viens, je t'en prie, dit-elle.

Alors il la pénétra. Mais pas complètement, pas encore. Lentement, il la fit s'allonger à plat dos sur le capot, plaqua les mains de chaque côté d'elle et se pencha. Puis il se poussa tout du long en elle.

— Encore, haleta-t-elle en se cambrant.

— Regarde-moi, Sophie.

Elle ouvrit les yeux.

Il se retira presque entièrement, puis se repoussa en elle.

— Dis mon nom. Dis que tu me veux.

— T. J. Je te veux.

Un instant, il se força à l'immobilité. Si c'était tout ce qu'il pourrait jamais avoir, il s'en contenterait. Il ferait en sorte que ça suffise. Puis, en reprenant ses allées en venues en elle, il comprit que c'était faux. Il n'en aurait jamais assez.

En sentant monter l'orgasme de Sophie, il rendit les armes, se poussa plus vite, plus fort en elle, jusqu'à ce que le monde se dissolve autour d'eux.

Quand elle reprit pied dans la réalité, Sophie se retrouva allongée sur un capot de voiture, avec Tracker étendu sur elle, encore en elle. Et elle ne put s'empêcher de sourire.

— Qu'y a-t-il ? murmura-t-il.

Elle tourna la tête et le regarda droit dans les yeux.

— Je me disais juste qu'Alfred Hitchcock oubliait toujours d'ajouter cette scène dans ses films. Mais c'est vrai qu'il y avait bien plus de censure à l'époque.

Il lui caressa la bouche d'un doigt léger.

— Je n'arriverai jamais à prévoir les cheminements tordus de ton esprit.

— Tordus ?

Il lui donna un baiser passionné.

— Pas tordus, bizarres, rectifia-t-il en la dévisageant. Tu n'es jamais là où je pense te trouver.

Et cela lui donnait un air méfiant, remarqua-t-elle. Presque rude. Mais il était difficile de monter sur ses grands chevaux lorsqu'on était vautrée, bras et jambes écartés, sur un capot de voiture. Elle choisit donc de répondre.

— Toi non plus, tu n'es pas tel que je t'attendais.

— Non ?

— Nous avons bien plus en commun que je ne pensais au départ. Nous aimons les vieux films, piloter des petites bombes décapotables et nous avons tous deux l'esprit de compétition.

— Nous sommes quand même très différents sur des points essentiels, contra-t-il.

— Ça, nous ne le saurons qu'en nous connaissant mieux.

— Je sens venir un jeu des vingt questions.

Il avait dit cela d'un ton si résigné qu'elle sourit.

— Et si on remettait en place la règle des pénalités ?

Il écarta une mèche de sa joue.

— Et si on commençait par une pause déjeuner ?

— Oh. On a déjà terminé, ici ?

Il éclata de rire, lui posa un baiser sur le nez et se redressa en l'emmenant avec lui.

— Et si tu me donnais ce coupon, que je puisse l'utiliser plus tard ? L'herbe est parsemée de cailloux, et je ne suis pas certain que mon capot puisse supporter un deuxième assaut.

Lorsqu'ils se furent rhabillés et réinstallés dans la voiture, elle eut la surprise de le voir continuer sur le chemin au lieu de repartir vers la route.

— Que comptes-tu faire ? Pêcher une truite pour le déjeuner ? Prendre un lapin au collet ?

L'odeur la frappa avant qu'ils aient passé le virage. Fleurs, et chevaux. Puis elle écarquilla de grands yeux. La maison, mélange contemporain de courbes et de lignes droites, était perchée au sommet de la colline, moins boisée par ici. Le soleil jouait sur les vitres du dernier étage. A gauche, un bâtiment bas et effilé, de la même facture que la maison, était niché derrière un paddock. Deux chevaux, un étalon noir et un alezan doré, galopèrent vers la clôture, puis caracolèrent en suivant l'allure de la voiture.

— Quel est cet endroit ? demanda Sophie.

Cela ne ressemblait ni à une pension de famille ni à un hôtel.

Tracker arrêta la voiture et se tourna vers elle.

— C'est ma maison.

Elle le fixa, interdite.

— Tu as des chevaux ?

— Deux. L'étalon noir s'appelle Pluton, la jument Perséphone.

Elle reporta les yeux sur la maison, puis sur lui.

— Tu as une plus belle cabane perchée que moi.

Il rit, puis il lui prit la main, la retourna et en embrassa la paume.

— Je vais continuer à te convaincre que nous avons bien plus en commun que tu ne l'imagines, T. J. McGuire. Mais pour l'instant, je veux être présentée aux chevaux. Qui prend soin d'eux quand tu es en ville ?

— Jerry, qui dévale en ce moment même l'escalier pour faire ta connaissance.

Elle se tourna vers la maison au moment où un petit homme noueux, bâti comme un jockey, s'avançait vers eux. Il la jaugea ouvertement pendant que Tracker faisait les présentations, et ce fut sans un sourire qu'il lui tendit la main. Puis il lui adressa un petit salut et s'en fut.

—Jerry est très timide, surtout avec les femmes, expliqua Tracker. Mais c'est un excellent cuisinier, et il est parfait avec les chevaux. Ça te dirait, une promenade à cheval ?

—J'ai bien cru que tu ne le proposerais jamais.

Il versa du champagne dans deux flûtes en cristal, en tendit une à son vis-à-vis puis fit jouer la sienne dans la lumière. Les bulles bouillonnaient dans le liquide doré.

— Je n'ai pas encore réglé l'affaire dont nous avions discuté, dit l'autre. Le tireur d'élite que j'avais engagé a manqué sa cible.

— Je suppose que vous avez rectifié cette erreur.

— Oui.

Il sourit, et fit un geste en direction de la table.

— Une partie, en ce cas ?

Ils prenaient place devant l'échiquier quand retentit la sonnerie du téléphone. Il posa sa flûte et décrocha.

— Oui ?

— Je sais exactement où elle est.

Le Maître des Marionnettes laissa s'étirer le silence.

— Vous le savez, mais vous ne l'avez pas ?

— Vous ne comprenez pas. Je peux vous dire exactem…

— Silence.

Le flot de paroles se tut instantanément à l'autre bout de la ligne. Il patienta, et but une gorgée de champagne. Le seul bruit audible dans la pièce était le souffle erratique qui se déversait par le haut-parleur. La peur est une arme puissante, et il adorait s'en servir.

— Maintenant, si vous avez repris le contrôle de vous-même, vous pouvez poursuivre.

— Je l'aurais, si on ne lui avait pas tiré dessus.

Quand il reprit la parole, ce fut très lentement.

— Les excuses ne font que m'agacer. Si vous voulez vous racheter pour l'échec d'aujourd'hui, il se pourrait que vous ayez jusqu'à demain pour remettre l'objet à mon représentant.

— Je vais m'en occuper, je vous le promets. Et puis ça sera fini. Serons-nous quittes ?

— Nous le serons, mon ami. Je n'aurai plus besoin de vous.

Il reposa le téléphone et regarda son vis-à-vis.

— Bien sûr, il devra être éliminé.

— Bien sûr. C'est une poule mouillée.

Un moment, il étudia son convive, et y vit une nature presque aussi cupide et impitoyable que la sienne, ce qui était peu fréquent. Il avait bien choisi cette marionnette, et le jeu qu'ils avaient joué s'était révélé excitant, presque exaltant. Dommage qu'il doive se terminer dès que Sophie Wainright serait morte.

— Vous occuperez-vous de Mme Wainright ?

— Pas plus tard que demain. J'essaie de la localiser en ce moment même.

Il se rembrunit.

— Je ne veux pas d'elle au magasin, demain.

— J'y veillerai. Ne vous faites aucun souci.

Il sourit et but une nouvelle gorgée. Du souci, il ne s'en faisait aucun, puisque lui aussi avait un plan.

— Bon garçon, chantonna Sophie en flattant l'encolure de Pluton.

— Il va te réclamer des caresses toute la journée, dit Tracker.

Et effectivement, Pluton lui poussa l'épaule du museau. Jalouse, Perséphone piaffa.

Tracker s'installa sur la couverture qu'il avait étendue sous un saule et regarda Sophie aller caresser la jument, émerveillé. Elle avait non seulement fait la conquête de Perséphone, mais également de Pluton. Elle était bonne cavalière et, l'espace d'un instant, alors qu'ils galopaient côte à côte à travers la campagne, il avait commencé à croire qu'ils avaient effectivement bien plus en commun qu'il ne l'imaginait.

En la regardant s'avancer vers lui, il comprit qu'il voulait y croire plus que tout. Elle n'aurait jamais dû s'intégrer aussi bien dans cette maison qu'il avait conçue pour lui. Mais, bizarrement, elle l'avait fait.

— Je suis affamée, s'écria-t-elle, se laissant tomber sur la couverture.

Soudain, il le fut aussi, mais pas de nourriture. Et il l'aurait volontiers prise sur-le-champ en prétextant son coupon s'il n'avait pas vu la fatigue marquer son visage. Il mit donc un frein à ses envies et déballa le panier préparé par Jerry. Poulet rôti, délicieux fromage, petits pains croustillants, raisin et fraises. Elle étala de la moutarde sur une moitié de petit pain tandis qu'il leur servait deux verres de vin.

Elle en but une gorgée, puis le dévisagea, tête penchée.

— Depuis l'enfance, je rêve d'avoir mon cheval. Chevaucher, c'est encore mieux qu'une cabane dans un arbre.

— Pourquoi n'en as-tu jamais eu ?

— Entre les pensionnats et l'université, je n'étais pas assez souvent là. Ensuite, il y a eu la boutique. Mais toi… Jamais je ne t'aurais imaginé dans un endroit tel que celui-ci. Je crois qu'il est définitivement temps de jouer aux questions.

Il y avait d'autres jeux qu'il préférait, mais elle était épuisée, et s'il jouait selon ses règles, il parviendrait peut-être à lui imposer le gage d'une sieste.

— Une question chacun.

— Bonne idée pour commencer, dit-elle, la bouche pleine. A moi. Quel est ton meilleur souvenir de Noël ?

— Mon quoi ?

Elle planta son regard dans le sien.

— Je peux te poser les questions que je veux. Si tu passes, tu as une pénalité.

— Je connais les règles. J'essaie juste de me souvenir.

Il se laissa aller contre le tronc du saule et fouilla dans sa mémoire. Les Noël… Il en avait passé une bonne partie seul, sans prendre la peine de faire attention à la date inscrite sur le calendrier. Même l'année précédente, quand il avait emménagé ici, il l'avait passé seul. Mac et Lucas l'avaient invité, bien sûr, mais il avait décliné leur offre parce que Sophie serait présente.

— Je dirai que c'est celui où j'ai fait la connaissance de Jerry. On travaillait tous les deux dans un haras du Kentucky. Il était entraîneur, et j'avais besoin de travailler, répondit-il en souriant. J'étais un gamin effronté de quinze ans, et le travail qu'il m'a confié était bien plus important que je ne m'y attendais. Jerry était un perfectionniste, jamais content de ce que je faisais, et je me suis fait un devoir de le satisfaire, juste par mauvais esprit. Il m'avait aussi trouvé un coin où dormir, dans la grange. Cette année-là, à Noël, il m'a traîné chez lui en me disant que personne ne devait rester seul ce jour-là, et que comme nous l'étions tous les deux, nous allions devoir nous supporter. Peu de temps après, il m'a ordonné de déménager mes affaires chez lui. C'est un miracle qu'on ne se soit pas entre-tués.

— T'a-t-il toujours accompagné depuis lors ?

— Non. Je suis retourné le chercher dans le Kentucky quand j'ai décidé d'accepter le travail que me proposait Lucas.

— Tu pensais être son débiteur.

— Je n'ai jamais vu les choses ainsi. Pas plus que lui. Je savais que je voulais un endroit avec des chevaux, et que j'avais besoin de quelqu'un pour en prendre soin. Jerry était le candidat rêvé.

On ne s'était pas revus depuis une bonne dizaine d'années, et il n'avait pas changé. Il est toujours aussi irascible.

Sophie bâilla quand il remplit leurs verres.

— A ton tour.

Il réfléchit un instant.

— Quel est ton meilleur souvenir de Noël ?

— Facile, répondit-elle, buvant une gorgée.

Ça, il s'en doutait. Elle devait avoir des monceaux de bons souvenirs de cette époque de l'année.

— J'avais cinq ans et mes deux parents étaient absents. C'était peu après leur divorce, et Lucas avait décidé de rester au collège. C'était la nuit, veille de Noël, et j'étais dans la maison Wainright avec une nounou et le personnel. Alors j'ai entendu le traîneau du Père Noël se poser sur le toit.

— Tu as cru l'avoir entendu ?

— Non, rétorqua-t-elle, sûre d'elle. Je l'ai vraiment entendu. Et savoir qu'il existait vraiment et que le Père Noël, lui, ne m'avait pas oubliée fut le plus beau cadeau que j'ai eu cette année-là.

Tracker but une gorgée de vin en tentant de se représenter Sophie petite fille, seule pendant les vacances à l'exception du traîneau imaginaire. Peut-être avaient-ils autant en commun qu'elle le pensait, après tout. Cette éventualité provoqua en lui un éclair de pure panique.

— A mon tour, reprit-elle. Raconte-moi ta première expérience sexuelle.

— Jamais de la vie ! s'écria-t-il, manquant de s'étrangler.

— Lâche.

— Tu ne penses tout de même pas que je me souviens…

— Tout le monde se rappelle de la première fois. Etait-ce aussi horrible que cela ? Tu n'as pas pu ?

— Bien sûr que non. Enfin si, je veux dire, bien sûr que j'ai pu. Mais tu ne préférerais pas que je te montre ce qu'elle m'a demandé ?

Ce fut d'une voix déjà changée, plus sourde, qu'elle répondit.

— Si, mais… dis-moi au moins son nom.

— Marylee. J'avais seize ans, elle la trentaine. Je lui donnais des cours d'équitation.

Tout en parlant, il fit lentement glisser un doigt de sa bouche à son menton, puis le long de son cou, vers sa gorge, ses seins. Elle posa une main sur sa joue.

— Tracker, embrasse-moi.

— Je ne peux pas. Elle ne me permettait jamais de l'embrasser tant que je ne l'avais pas déshabillée.

— Alors déshabille-moi. Vite.

Il sourit.

— On laisse tomber Marylee ?

— Tu ne perds rien pour attendre, mais oui. Viens.

Il la dévêtit lentement, fit glisser plus lentement encore son jean le long de ses jambes.

— J'aime tes jambes, murmura-t-il en les parsemant de baisers. Elles sont si belles, si douces.

— Tracker, je t'en supplie.

— Tu me supplies de quoi ? la taquina-t-il.

— Vite. J'ai trop envie de toi.

Il ne pouvait pas. Pas encore. S'il la prenait maintenant, il allait encore être brutal. Aussi se pencha-t-il sur elle et posa-t-il sa bouche sur son ventre, puis plus bas, et entreprit-il de la caresser de sa langue.

Quand un premier orgasme emporta Sophie, un autre faillit l'emporter lui aussi. Il se coucha contre elle et la serra, le temps que cessent les frissons violents qui agitaient son corps.

— Tracker, je t'en prie, je te veux en moi.

Il déboutonna fébrilement son jean, se dévêtit, s'allongea sur le dos et l'attira sur lui. Elle s'empala avidement sur lui mais, quand elle voulut bouger, il l'immobilisa en la serrant dans ses bras, de peur de partir aussitôt. Et il comprit qu'il pourrait la tenir ainsi l'éternité durant.

Mais elle ondula contre lui.

—Tracker, s'il te plaît, jouis pour moi.

Alors il donna deux violents coups de rein et se répandit en elle.

13.

Natalie Gibbs prit soin d'essuyer la banquette avant de s'asseoir.

— On ne vous a jamais dit que vous avez très mauvais goût en matière de restaurants ?

— Ce n'est pas un rendez-vous galant, protesta Chance.

Si ça avait été le cas, il aurait peut-être cherché pourquoi cette femme le prenait toujours à rebrousse-poil.

— Grâce au ciel, non. Vous n'êtes pas mon type.

Il allait s'en tenir au travail, ils allaient partager ce qu'ils savaient et élaborer un plan pour le lendemain, et ensuite ils iraient chez Tracker pour en parler avec lui. Mais il ne put s'empêcher de la titiller.

— Ramsey m'a dit que vous étiez le garçon blond qui m'avait dragué, l'autre jour à la galerie. C'était risqué, quand même. Et si je vous avais dit oui ?

— Pas si risqué que cela, si vous y réfléchissez, répondit-elle en souriant. Si vous étiez hétéro, ça ne risquait rien. Si vous étiez gay, eh bien, vous auriez été déçu. Je voulais voir qui travaillait à la galerie, ajouta-t-elle, sérieuse. Car c'est là que s'est arrêtée Jayne Childress avait de mourir. En vous voyant, je n'ai d'ailleurs pas pensé que vous étiez homo.

Il n'aimait vraiment pas ce qu'elle voyait en lui.

— Et pourquoi cela ?

— Une impression. Que j'ai ressentie la première fois, quand nos regards se sont croisés.

Il savait exactement de quoi elle parlait, parce qu'il avait cette même impression en ce moment. Un sentiment de reconnaissance, comme un coup au ventre.

— Qu'est-ce que je vous sers, ma chérie ?

Il leva les yeux. La serveuse s'adressait à Natalie.

— Ça fait un bout de temps, Mae. A votre avis, ce pot de café, de quand date-t-il ?

— Je dirais… les Beatles devaient encore chanter, répondit la serveuse en jetant un coup d'œil vers le comptoir.

Natalie se mit à rire, et Chance reçut encore une fois ce coup au ventre en l'entendant.

— Merci, Mae. Donnez-moi donc un soda.

— Pour moi aussi, merci.

La serveuse partie, Chance contempla un instant Natalie en se demandant… Rien. En ne se demandant rien du tout, se reprit-il, sortant son carnet. Elle avait fait de même et leva les yeux vers lui.

— Pour votre gouverne, c'était le bistrot préféré de mon collègue, quand je patrouillais en tenue. C'est pour cela que je me méfie de la fraîcheur et que j'opte régulièrement pour une boîte, une bouteille ou une canette. On s'y met ?

— Oui. Mauvaise nouvelle pour commencer. Je viens d'apprendre que l'artiste céramiste et le propriétaire de la boutique qui l'exposait sont morts tous les deux.

Elle lui jeta un regard atterré.

— L'avez-vous dit à Tracker et à Sophie ?

— Je le ferai quand nous les verrons. C'est le genre de nouvelle que je préfère donner de vive voix, dit-il, se rendant compte qu'il avait attendu car il voulait d'abord en parler avec Natalie, avoir son avis.

— Je n'aime pas cela, dit-elle, tapotant son carnet de la pointe de son stylo. Celui que nous cherchons ne fait pas de prisonniers. Je veux l'avoir, ajouta-t-elle, cherchant son regard.

— Du nouveau, côté tireur ?

— Je devrais en avoir bientôt, car je lui ai fait une proposition inespérée, et son avocat veut me voir demain.

Mae arriva avec les consommations, et Natalie attendit.

— J'ai rendu visite à Noah Danforth, reprit-elle. Il avait les stores baissés et prétendait avoir la migraine. Je parie que quelqu'un lui fait la peur de sa vie. Votre avis sur Meryl ?

— Elle n'a rien à voir dans l'histoire. Pourquoi ?

— La proximité de la boutique de Sophie est intéressante, réfléchit-elle à voix haute. Elle vous a servi pour l'espionner, elle pourrait tout aussi bien servir aux autres.

— Mais elle est rarement là. C'est une dilettante.

— Nous ferions mieux de prendre la route, dit Natalie en se levant. J'ai vu votre voiture, c'est moi qui conduis.

— Bon travail, murmura-t-il dans le combiné. Excellent. Je vous devrai un bonus pour cela.

Alors qu'à l'autre bout la voix précisait les détails, il dut admettre que cela paraissait infaillible. C'était vraiment devenu enfantin de retracer les appels passés sur des portables. Et il pouvait compter sur le fait que Sophie Wainright ne serait pas dans son magasin, le lendemain.

Il sourit à son reflet dans le miroir. Le Maître des Marionnettes pourrait superviser lui-même la fin du jeu.

Après avoir enfilé sa veste, il sélectionna une rose dans le vase, en brisa la tige et la glissa à sa boutonnière.

Ensuite, il devrait nettoyer impeccablement l'échiquier. Il n'était pas arrivé là où il était en laissant des traces derrière lui.

Par les baies vitrées donnant sur la terrasse, Sophie vit que le ciel devenait gris, que le jour s'enfuyait. Comme Tracker.

Non. Elle n'allait pas encore se sentir abandonnée. Il avait dû descendre téléphoner, régler des détails pour le lendemain. C'était bête, mais elle ne pouvait s'empêcher de penser que ce qu'ils avaient vécu, dans l'après-midi, était un cadeau d'adieu. En rentrant de leur promenade à cheval, il l'avait emmenée au lit, et il lui avait fait l'amour si différemment, il avait été si tendre, si posé qu'il lui avait donné le sentiment d'être chérie, aimée. *Aimée*.

Le téléphone sonna alors qu'elle fixait le lit vide.

— Allô ! Sophie ? Tu vas bien ? demanda aussitôt Mac. Lucas vient de raccrocher avec Tracker. Nous avons appris le meurtre de Landry en venant dîner à Key West. Lucas me dit que Tracker s'occupe de tout, mais je voulais t'entendre.

— Ça va, répondit-elle, s'asseyant sur le lit. Grâce à Tracker, je ne peux pas entrer dans la boutique sans marcher sur un garde de la Wainright.

— Parfait. Tu peux compter sur lui. Tu ne veux pas qu'on rentre ? Ce serait mieux que tu viennes vivre avec nous.

— Non, surtout que je suis dans la maison de Tracker.

Il y eut un silence.

— Eh bien ! Lucas et moi n'y avons jamais été invités. Ça doit superbement bien marcher entre vous deux.

Sophie se rendit compte alors que ses bavardages avec Mac lui manquaient terriblement.

— Je ne sais pas. Par moment, tout va pour le mieux. Il est si gentil, si romantique.

— Romantique ? Alors, là, c'est moi qui suis jalouse !

— C'est cela, oui. Comme si, avec toi, Lucas n'était pas devenu un nounours en guimauve !

— Je sais, répondit Mac en soupirant. Mais Tracker ne m'a jamais paru du style romantique.

— Le problème, c'est qu'il est romantique un instant, et il se rétracte le suivant.

— Cela ne m'étonne pas. Il a eu une enfance très difficile, ballotté de foyer en foyer après la mort de sa mère. Il en parle rarement, mais un jour il a dit à Lucas qu'il avait peur d'avoir hérité de la violence de son père.

— Mac, c'est l'homme le plus doux que je connaisse.

— Alors, arme-toi de patience.

Tracker faisait entrer Natalie et Chance quand Sophie descendit le grand escalier. Il sentit son regard accusateur sur sa nuque avant même de lui faire face.

— Réunion stratégique, expliqua-t-il.

— Je croyais que vous ne deviez plus rien faire sans moi ?

— Bien évidemment. Je n'ai pas dit qu'ils venaient car je voulais que tu dormes. Mais nous allons avoir besoin de toutes les énergies, répondit-il d'une voix sèche.

Il était encore furieux contre lui, contre son incapacité à la laisser se reposer. En rentrant de l'écurie, il l'avait emmenée là-haut, dans le but de la laisser dormir, mais il n'avait pas pu la quitter. Pire, il n'avait pas pu s'empêcher de la toucher, de lui faire l'amour. Même quand elle s'était endormie, il avait eu du mal à quitter la pièce.

Elle était visiblement furieuse, à présent. Très bien, songea-t-il, ça les maintiendrait à distance l'un de l'autre. Mais alors qu'il pensait cela, il alla lui prendre la main et, sans plus réfléchir, se pencha pour effleurer ses lèvres.

— Les nouvelles sont mauvaises, Sophie. Natalie et Chance vont tout te raconter.

*
* *

Une heure plus tard, Tracker s'obligea à détendre ses épaules contractées. Sophie avait pris les deux assassinats avec calme et s'était avérée très inventive au cours de la réunion. C'était elle qui avait suggéré de limiter leur liste de suspects aux invités de la réception Langford-Hughes ayant fait mention d'objets en céramique.

Ils avaient écrit leurs noms sur des cartons qu'ils avaient disposés en éventail sur la table. Millie Langford-Hughes, Sir Winston Hughes, Chris Chandler. Natalie avait tenu à inscrire Noah, et ils avaient ajouté une étoile sur la carte de Chandler, car Le Maître des Marionnettes pouvait être l'un de ses clients.

Tracker porta son attention sur les deux interrogateurs de Sophie. Ils se complétaient étonnamment bien, étant données leurs différentes approches du problème. Natalie avait l'esprit acéré et plutôt linéaire alors que celui de Chance paraissait jouer perpétuellement à la marelle. A eux deux, ils avaient appris de Sophie tout ce dont elle se souvenait de son voyage en Angleterre.

— Oui, il y avait des clients dans la boutique ce jour-là, mais je ne pensais qu'aux affaires, se souvint-elle en se pressant les tempes. Je ne crois pas être capable d'en décrire un seul, à part John, mais parce qu'il m'a parlé. Je revois un couple avec un enfant, qui touchait tout dès que ses parents avaient le dos tourné. Il aurait d'ailleurs cassé un vase si cette femme ne l'avait pas rattrapé quand il lui a échappé.

— A quoi ressemblait-elle ? voulut savoir Natalie.

— Plutôt ronde, avec un chapeau blanc à large bord. Elle a plaisanté pour rassurer l'enfant. Un rire profond. De grandes mains. Je me souviens de ce détail. Rien d'autre.

— Essayons autre chose, suggéra Tracker. Je suis prêt à parier que l'origine de ces morts en rafale se situe la nuit de la réception. La troisième pièce était censée arriver ce jour-là. Si le Maître des Marionnettes avait eu la tentation de s'approcher et que quelqu'un, Landry peut-être, l'ait vu ?

— Ça pourrait expliquer son départ précipité, dit Chance.

— Il était excité, quand il m'a dit au revoir, ajouta Sophie. Quand je lui ai demandé ce qui n'allait pas, il a dit quelque chose sur un inconnu qui aurait un air familier.

— Autre chose ? s'enquit Tracker.

— Il s'envolait pour l'Angleterre, le lendemain.

— Moralité : il était certain que nous touchions au but, conclut Chance.

— Essaie de te souvenir de quoi vous parliez quand il a évoqué cet inconnu familier, demanda Tracker.

— Il est venu me dire au revoir, dit Sophie après un temps. Et puis… on a parlé des pièces en céramique. Il m'a dit que Matt Draper voulait savoir si j'avais bien reçu le cheval. J'avais oublié.

— Te souviens-tu de ta réponse ?

— Je lui ai dit qu'il me plaisait tant que je l'avais monté là-haut, pour le déballer moi-même.

— *Là-haut*. Si tu n'as pas parlé de chez toi, il a dû penser que tu parlais du premier étage, et il est peut-être allé le chercher, supputa Tracker. Car c'est au premier qu'il est mort.

— O.K., dit Chance. Il a vu quelqu'un qu'il a cru reconnaître, et il a pensé savoir où était la pièce, ce qui lui donnait l'appât idéal pour attirer le Maître des Marionnettes en terrain découvert. Savez-vous, Tracker, Sophie, à qui il a parlé avant de partir ?

Tracker secoua la tête.

— Il a pu parler à n'importe qui en sortant, dit Sophie.

— Oui, et aussi fixer le rendez-vous, conclut Chance. On n'est pas plus avancés qu'avant.

— Je pense que nous devrions y aller, dit alors Natalie en se levant. J'ai encore des détails à régler, au bureau, et puis je voudrais aller me coucher et donner à mon subconscient le temps de digérer tout cela.

Chance la suivit vers la porte.

— Je connais des trucs bien plus passionnants à faire dans un lit, lança-t-il.

— Je n'en doute pas, mais vous bousilleriez votre couverture, beau gosse.

— Aïe ! s'écria-t-il, faisant mine d'avoir été poignardé.

Après leur départ, Tracker passa quelques coups de téléphone et Sophie réarrangea les cartes nominales sur la table, pensive. Un détail lui échappait. Cela faisait un moment qu'il rôdait, juste hors de portée, depuis… Si le depuis lui revenait, peut-être que le reste reviendrait aussi.

— Qu'y a-t-il ? lui demanda Tracker.

— Je ne sais pas… quelque chose qui… Non, ça reviendra.

— Tu devrais aller dormir un peu. J'ai encore des détails à régler.

Ça y était, elle revenait, cette main qui se resserrait autour de son cœur. Ainsi, la distance était de retour. Elle se leva, s'approcha de lui, posa les mains sur ses épaules.

— Si tu penses pouvoir te sacrifier en dormant ici sur le canapé, je saurai te trouver.

— Sophie, tu as besoin de dormir, et moi aussi. Il faut que je sois performant, demain, au magasin. Je veux avoir ce salaud.

L'emploi du « je » ne lui échappa pas. Elle garda le silence un instant et retira prudemment les mains de ses épaules. Elle avait envie de l'étrangler. Oh, elle aurait dû voir cela arriver, si elle n'avait pas été aveuglée par la journée qu'ils venaient de passer. Il avait probablement tout programmé, même cela. Et elle le lui ferait payer. Mais plus tard.

Elle recula d'un pas, mains dans le dos.

— Je n'aurais jamais cru que tu étais un tricheur, dit-elle.

Il pivota vers elle, des éclairs dans les yeux.

— Un tricheur, moi ? gronda-t-il. J'ai accepté tes paris, j'ai suivi tes règles, j'ai joué le jeu. Bon sang, c'est déjà assez dur de ne pas pouvoir empêcher mes mains de te toucher. Je ne peux pas te sortir de ma tête, je ne peux pas te sortir de mes rêves. Que veux-tu de plus ?

Une intense satisfaction s'empara d'elle. Il n'y avait rien de noble à cela, mais elle fut contente de l'avoir fait souffrir.

Il lui attrapa les bras et la souleva de terre.

— Que veux-tu ? Tu veux que je te fasse l'amour ici, maintenant ? Tu veux que je te fasse l'amour dans toutes les pièces de cette maison ?

Elle avait bien peur que oui. Mais plus tard, cela aussi. Car avec son regard incandescent planté dans le sien, elle ne…

— Je n'arrête pas de te désirer, dirent-ils en même temps.

Il l'avait déjà plaquée contre le mur et ses mains la débarrassaient déjà de son jean. Elle entendit le grognement qu'il poussa en la pénétrant.

— Je n'arrête pas de te désirer, dit-il en s'enfonçant en elle, puis en se retirant, mains plaquées sur ses hanches.

Elle ne vit plus que lui. Furieux, désespéré. Il était à elle.

— Va au diable, Sophie.

Il se poussa en elle, se retira, se poussa encore.

— J'ai besoin de toi.

De nouveau, ils avaient parlé ensemble alors qu'elle empoignait ses cheveux, attirait sa bouche vers la sienne. Ils allaient devoir s'y faire, tous les deux. Telle fut sa dernière pensée cohérente avant que le monde n'explose.

En ouvrant les yeux, Sophie se retrouva couchée sur lui, par terre. Elle releva la tête et tenta de déchiffrer l'expression de son visage. Stupéfait. Atterré. Ce furent les seuls mots qui lui vinrent à l'esprit. Pour lui comme pour elle.

— Est-ce que ça va ? demanda-t-il, posant la main sur sa joue.

— Fabuleusement bien.

Mais il ne sourit pas. Il la dévisagea, lui aussi.

— En général, je ne… Je ne me comporte pas comme…

Il cherchait ses mots.

— Un lapin ?

Alors, il éclata de rire, puis la serra contre lui.

— Je pensais à un adolescent en rut, mais *lapin* me va.

— Euh, moi non plus, je ne me conduis pas en lapine, mais… pourquoi ce serait toujours à eux de s'amuser ?

Quand ils finirent de rire, hors d'haleine, et que leurs yeux se rencontrèrent, elle se sentit plus proche de lui qu'en faisant l'amour.

— T. J…, commença-t-elle.

— Sophie, murmura-t-il en même temps.

Elle ravala ce qu'elle avait failli dire. C'était « Je t'aime ». Il n'était pas prêt à entendre cela. Et elle n'était pas sûre d'être prête à le dire. Aussi n'ajouta-t-elle rien.

Il la regarda, sans un mot. Ce qu'il avait été à deux doigts de laisser échapper commençait à peine à se faire jour dans son esprit. Le penser, le savoir, était une chose. Mais le dire… Il ne pouvait se le permettre. Pas encore.

— Il faut qu'on parle.

— Non, répondit-il, pris de panique.

— Bon, alors je vais parler et tu vas écouter. Mais d'abord, on se rhabille si on ne veut pas repartir tout de suite dans un remake de *Clapier story*. Je vais m'asseoir d'un côté de la table et toi de l'autre.

— Si tu crois que cela suffira, dit-il, souriant tout en se rhabillant.

— On va dire que oui, répondit-elle, remettant un peu d'ordre dans ses cheveux. Je vais à la boutique demain matin.

— C'est entendu.

— Tu me prends pour une imbécile ?

— Non.

— Alors ne t'avise pas d'essayer de m'embrouiller avec tes « C'est entendu » ! Foutaises ! Natalie et Chance ont passé plus d'une heure ici et rien n'a été décidé pour demain. Il y a deux minutes, tu as dit « Je dois être performant, demain, au magasin ». *Je,* pas *nous*. Tu as un plan dans ta manche pour me laisser derrière, et je pourrais en trouver un pour te contrecarrer. Mais je veux me concentrer sur l'arrestation de ce salaud, afin de pouvoir retrouver une vie normale.

Tracker poussa un soupir. Avait-il vraiment cru pouvoir la leurrer ?

— Sophie, j'ai promis à Lucas de te garder en sécurité. Ce type est intelligent et extrêmement dangereux. Je ne veux pas que tu l'approches.

Elle se pencha sur la table, mains plaquées contre le bois.

— Notre seule chance de l'avoir, c'est que je sois au magasin demain. Pour une quelconque raison, cupidité, arrogance ou amour du jeu, il sera là. Je le sais.

— Raison de plus pour que tu n'y sois pas, s'entêta-t-il, et que tu nous laisses, Gibbs, Chance et moi, faire notre travail. Tu nous gêneras.

Il vit la douleur traverser son regard, et la ressentit aussitôt en lui.

— Il faut que je sois là, car je pourrai le reconnaître.

— Comment ? Personne ne l'a vu. Cela peut tout aussi bien être une femme.

— Quand John Landry m'a dit qu'il avait vu un inconnu qui lui paraissait familier, je me suis souvenue avoir eu la même impression au cours de la réception. C'était diffus, et je n'ai pas pu me rappeler qui c'était. Mais si je revois cette personne, ça me reviendra certainement. C'est peut-être pour cette raison qu'on essaie de me tuer.

Elle avait raison, et il n'aimait pas cela. Mais si elle reconnaissait l'individu, c'était peut-être leur seule chance de l'avoir.

— S'il vous file entre les doigts, nous ne saurons jamais quand et où il va engager un tueur pour me liquider.

Il dut reconnaître qu'elle savait quels boutons presser.

— Je me déguiserai, je suis douée. Jerry est de la même taille que moi. Je suis certaine qu'il voudra bien me prêter quelque chose.

— Hum, la dernière fois, tu as fini par être enlevée !

— Mais tu seras avec moi, demain. On avait bien dit qu'on serait partenaires à égalité, non ? Tu reviens sur ta parole ?

—Pas du tout. D'accord, je t'emmène demain. Et maintenant, au lit !

14.

Alors que Tracker engageait la voiture sur la première route digne de ce nom, Sophie se tortilla en cherchant une position plus confortable. Le jean de Jerry était taillé pour un homme format ablette, et elle avait un peu de mal à respirer en position assise. Mais elle n'en était pas moins ravie de son déguisement, surtout la moustache, fournie par Tracker et mise en place par Jerry. Une casquette de base-ball dissimulait sa chevelure, et avec ses lunettes fumées, elle avait du mal à se reconnaître elle-même.

Un coup d'œil à Tracker lui suffit pour comprendre qu'il était repassé en mode protecteur, et elle ne tenait pas à le distraire. Quand elle l'avait vu remonter la capote de la voiture et glisser un fusil derrière le siège, le choc ressenti avait été salutaire. Ils ne jouaient plus. Il s'agissait de sa vie.

— Merde, marmonna-t-il.

Les freins hurlèrent, elle leva la tête et vit un arbre couché en travers de la route. Elle eut à peine le temps de s'accrocher que la décapotable finissait sa course sur le bas-côté. A peine remise, elle entendit un choc sur la carrosserie. Une balle.

— Fais ce que je dis, ordonna Tracker. Pas de questions.

Elle hocha de tête. Il s'empara du fusil.

— On sort de ton côté et on descend la colline. Vite.

Elle rampa parmi les branches, poussée par Tracker. Ils dévalèrent le coteau, tantôt accroupis, tantôt sur les fesses.

Même une fois à couvert, dans le bois, Tracker ne ralentit pas l'allure. Il voulait aller aussi loin que possible avant de faire demi-tour. Et que Sophie soutînt le rythme sans problème et sans récrimination lui fut une surprise et une bénédiction. Jusque-là, ils avaient de la chance. Vraiment. Par deux fois, il avait entendu des balles s'écraser sur des pierres pendant leur folle descente de la colline. Grâce au ciel, les arbres les avaient protégés dès leur sortie de voiture.

Ce n'était pas le moment de penser à ce qui aurait pu arriver s'il n'avait pas remis la capote.

— Là.

Il poussa Sophie vers un amoncellement de rochers et d'arbres morts. Il fallait qu'il lui trouve un endroit où se terrer avant d'espérer retrouver le tireur. Une fois pelotonnés dans une sorte de terrier naturel, il lui fit signe de garder le silence, et écouta. Une minute s'écoula. Puis deux, trois. Peu à peu, il perçut d'autres sons que leurs respirations laborieuses : le vent dans les feuilles, un pépiement d'oiseau. Une autre minute passa, et une branche oscilla au-dessus d'eux. Un écureuil.

Et puis il entendit ce qu'il attendait : un craquement de branchages. Emprisonnant le visage de Sophie entre ses mains, il l'attira vers lui et chuchota à son oreille :

— Pas un geste. Promets-moi de ne pas bouger quoi qu'il arrive.

— Je te le promets.

Il se redressa, lui sourit, puis sortit son revolver et le lui donna. Elle le prit, empoigna son T-shirt et l'attira à elle pour un baiser bref et intense.

— Reviens.

Une autre brindille cassa. Assez fort pour qu'il puisse évaluer la direction. Il cala le fusil sous son bras, se releva et courut en décrivant un cercle, retournant vers la voiture.

Il ne tenta pas d'assourdir ses pas, car il voulait que le tireur sache où il était. Il voulait l'entraîner le plus loin possible de Sophie. Avec tout le boucan qu'il faisait, impossible de deviner qu'il courait seul.

En dépit des obstacles, racines, arbres tombés et branches mortes, il conserva une allure aussi égale que possible, un souffle de même, tout en réfléchissant à cent à l'heure. Les branches cassaient sous ses semelles, les oiseaux s'envolaient à son approche. N'importe quel crétin serait capable de le pister. Surtout ne pas penser à Sophie, se concentrer uniquement sur son but.

Au bout de quatre minutes de course, il repéra le genre d'arbre qu'il cherchait, piqua droit dessus et attrapa la plus basse branche. D'un coup de rein, il se hissa dans l'arbre et l'attente commença.

Roulée en boule là où l'avait laissée Tracker, Sophie écoutait. Il lui avait dit de rester immobile, mais c'était inutile. Elle aurait été incapable de bouger, paralysée qu'elle était par la peur. Un moment, elle put suivre sa progression à l'oreille, donc savoir qu'il vivait. Maintenant, elle n'entendait plus que le vent et les oiseaux.

Ça fait trop longtemps qu'il est parti. La phrase commença à la hanter. Un rapide coup d'œil à sa montre lui apprit que cela ne faisait que cinq minutes. Mais le tireur avait quand même pu le trouver…

Elle fut prise de l'envie frénétique de se lever et de courir vers lui. Mais elle avait donné sa parole. Et quiconque avait tiré sur eux jouait un jeu létal. En courant vers lui, elle pourrait le distraire et provoquer sa mort, comprit-elle, paniquée.

Pense à autre chose. Elle ferma les yeux et revit les cartes nominales étalées sur la table, la veille. Un de ces noms-là était derrière toute cette affaire. Si elle repensait aux visages, elle pourrait peut-être retrouver celui qui titillait sa mémoire depuis lors.

L'un après l'autre, elle les passa en revue. Noah, si sérieux derrière ses lunettes cerclées de noir. L'effervescent Chris Chandler, ses mains volubiles et son diamant au petit doigt. Millie Langford-Hughes, véritable gravure de mode sous ses chapeaux à large bord. Et enfin, Sir Winston, son éclat dans le regard, ses mains qui prenaient les siennes.

Stop. Elle la sentait de nouveau cette impression de déjà-vu. Une image, juste hors de portée.

Trois détonations brisèrent le silence. Le cœur lui remonta dans la gorge tandis que les oiseaux s'égayaient. Tracker. Prise d'une peur panique, elle agrippa le revolver qu'il lui avait confié. Si tiède, tout à l'heure, quand il l'avait sorti de sa ceinture, si froid à présent. Si froid.

Elle se concentra et tendit l'oreille. Une minute, deux minutes. Il avait dit qu'il reviendrait, donc il reviendrait. Point. Un écureuil fila d'un arbre à l'autre. Un oiseau chanta.

Trop longtemps. Trop longtemps. Les mots formaient une litanie dans sa tête. Elle n'aurait pas dû le laisser partir. Elle aurait dû l'obliger à rester près d'elle, à l'abri des rochers. Elle aurait dû lui dire qu'elle l'aimait.

Une branche cassa. Elle empoigna la crosse et écouta. En se mordant les lèvres pour ne pas crier son nom. Si ce n'était pas lui... Dans le silence revenu, elle glissa son index dans la gâchette, puis brandit l'arme à deux mains et attendit.

Une autre branche.

— Sophie ? C'est moi.

Au son de sa voix, elle relâcha le souffle qu'elle avait retenu et se remit malaisément debout avec un sanglot. Il était là, de l'autre côté du monticule. Dès qu'elle le vit, elle courut se jeter dans ses bras.

— Est-ce que tu vas bien ?

— Ça va, dit-il en l'étreignant. Tu m'as attendu.

— Tu devrais me faire davantage confiance. Je croyais...

En disant cela, l'image qu'elle avait tant combattue s'imposa à son esprit. Son grand corps sans vie dans le sous-bois, ensanglanté.

— J'ai entendu les coups de feu, et...

Et elle se mit à trembler violemment, brusquement prise de nausée.

— Tu devrais me faire davantage confiance, toi aussi, princesse. Ils étaient deux, et ils ne nous ennuieront plus.

Elle se concentra sur le corps dur pressé contre le sien, le battement régulier de son cœur. Il était chaud, il était réel. Dans une minute, elle le croirait et serait capable de s'écarter. Dans une minute.

Tracker ne fut pas certain du temps qu'ils passèrent ainsi, enlacés, sous les arbres. Elle était vivante, elle était sauve. Les tremblements qui l'agitaient le prouvaient, et dans une minute, il croirait qu'ils allaient bien tous les deux.

C'étaient deux professionnels, comme celui qui était à l'hôpital, équipés d'armes haut de gamme. Si l'arbre tombé n'avait pas offert un abri, s'ils avaient choisi un endroit de la route plus éloigné des bois...

Il resserra son étreinte, chassant cette pensée. Alors, il se rendit compte qu'elle pleurait. Un instant de faiblesse s'empara de lui, et il eut peur que ses genoux ne lâchent. Elle ne faisait aucun bruit, et il ne sut même pas si elle en avait conscience. Mais les larmes inondaient son T-shirt, et il se sentit aussi démuni que l'année précédente, dans le bureau de Lucas.

— Chut..., murmura-t-il, caressant sa joue. Tout va bien.

— J'ai cru que je t'avais perdu.

— Oui, dit-il d'une voix bourrue.

Puis il glissa une main sous son menton et le leva. Lentement, il but les larmes qui coulaient encore sur ses joues, puis baissa sa bouche sur la sienne. Elle avait les lèvres douces, et quand elles commencèrent à se réchauffer sous les siennes, il se détendit.

Progressivement, il laissa s'enfuir sa peur. Elle était sauve, et il allait veiller à ce qu'elle le reste.

— Viens, dit-il en se redressant.

— Oui. Si on se dépêche, on pourra être au magasin avant l'heure d'ouverture.

Il s'arrêta net et tourna un regard éberlué vers elle.

— Tu n'y vas pas. Je te ramène chez moi.

— On a déjà réglé ça.

— Changement de programme. Je suis censé veiller sur toi, et je ne peux pas. Je ne pense pas clairement. Si je l'avais fait, j'aurais pigé qu'ils pouvaient nous pister jusque chez moi. Ils ont dû nous retrouver par le biais des appels téléphoniques. J'aurais dû…

— Arrête tout de suite ! Tu as fait un boulot formidable pour me protéger. Un blessé à l'hôpital, deux morts ici.

— C'est justement ça le hic. Il y en aura d'autres. Ce type, le Maître des Marionnettes, ou qui que ce soit, en engagera d'autres. Je veux que tu sois en lieu sûr.

Sophie se plaça en face de lui et lui prit les mains.

— C'est bien pour cela que nous allons au magasin.

— Sophie…

— Laisse-moi finir. Ils savaient quelle route tu allais prendre, ce matin. Donc, ils savent où se trouve ta maison. Combien de temps crois-tu que je serai en sécurité, là-bas ? Et comment pourras-tu être serein, au magasin, si tu te fais du souci pour moi ?

Elle n'avait pas tort. Elle n'avait jamais tort, et il eut envie de la secouer.

— Je t'emmène ailleurs.

— Et combien de temps vais-je devoir y rester ? Il a envoyé deux tueurs, cette fois. N'est-ce pas la preuve qu'il ne veut pas de moi à Antiquités, aujourd'hui ? Réfléchis-y un peu. Il va venir afin de s'assurer en personne que la troisième pièce est récupérée. Et il a peur que je le reconnaisse. C'est la seule chose qui soit logique dans tout ce fatras. Et si je n'y suis pas, il pourra peut-être vous échapper. Je ne serai jamais en sécurité.

Elle avait raison. Pour la première fois depuis qu'elle avait pleuré dans ses bras, il s'efforça de réfléchir sainement. Il ne voyait pas comment la garder en vie autrement.

— Au lieu de polémiquer, tu ferais mieux de vérifier mon déguisement. La moustache, elle est toujours en place ?

— Oui.

Il allait devoir se fier au déguisement pour remplir son rôle, tout comme il allait devoir se fier à Sophie pour faire de même.

— Très bien, dit-il, resserrant sa main sur la sienne et l'entraînant dans le bois. Tu viens au magasin avec moi, mais voici comment cela va se passer.

Le plan de Tracker ne plut pas du tout à Sophie. Elle devait jouer au client dans sa propre boutique, accompagnée de Natalie Gibbs. Au début, elle ne reconnut même pas l'inspecteur dans ce grand blond qui venait à eux, et ce ne fut que lorsqu'il sourit et la complimenta sur sa moustache qu'elle comprit enfin.

Leurrer Noah avait été un peu plus épineux, mais il avait fort à faire avec les badauds intéressés par les soldes disposées sur des tables, à l'extérieur. Alors, Natalie et elle ne furent que deux badauds fourrageant dans les babioles et les antiquités.

Et rien, absolument rien ne se passa. Planté sur le seuil du magasin, Tracker aidait en principe Noah à surveiller les tables extérieures. Censé se précipiter pour jouer au caissier en cas de besoin, il scrutait attentivement tous les gens qui s'approchaient un peu trop du cheval en céramique. Des membres de l'équipe de surveillance de la Wainright se relayaient en permanence pour jouer les chalands.

Le tintement de la sonnette de la porte attira l'attention de Sophie, mais ce n'était que Noah. Alors qu'il se précipitait vers l'arrière-boutique, elle se tourna vers la vitrine et fit mine de s'y intéresser. Un instant plus tard, il reparut avec deux bouteilles de citronnade. C'était lui qui avait eu l'idée d'offrir des boissons fraîches, et Sophie avait vite compris que les gens, attirés par la boisson les jours de canicule, avaient tendance à acheter plus volontiers.

Ce n'était pas la première fois qu'elle se félicitait d'avoir Noah pour assistant. Si jamais il s'avérait qu'il était impliqué dans le trafic…

Elle repoussa cette pensée et jeta un coup d'œil au cheval de céramique, posé sur une console Napoléon III, près de la vitrine. Tracker avait insisté pour l'exposer là, car les deux caméras vidéo braquées dessus filmeraient tous ceux qui s'y intéresseraient, ne serait-ce qu'un tant soit peu.

La sonnette tinta encore, et Meryl entra.

Sophie feignit toujours le même intérêt pour la vitrine, en se demandant ce qu'elle venait faire à Antiquités. A peine s'était-elle posé la question qu'elle repéra Chris Chandler en grande conversation avec Noah. Derrière lui, elle vit Millie Langford-Hughes et son mari, Sir Winston, qui s'avançaient vers le magasin. Les suspects arrivaient.

Millie fondit sur Chris Chandler, cependant que Sir Winston allait se verser un verre de citronnade. Un large panama protégeait son visage du soleil, et la même ombre de souvenir effleura la mémoire de Sophie. Qu'était-ce donc ? Ce ne fut que lorsqu'il se pencha pour donner un verre de citronnade à un enfant qui tirait sur un pan de sa veste que le déclic se fit. *Quelqu'un d'inconnu et toutefois familier.*

Qu'est-ce qui provoqua son souvenir ? Le chapeau, les mains sur le verre tendu à l'enfant ? Elle n'en sut jamais rien. Mais elle comprit qu'elle avait déjà vu ces mains, dans ce magasin anglais où elle avait connu John Landry. Seulement, à l'époque, ces mains appartenaient à une femme portant un chapeau à large bord, une femme ronde qui avait empêché un enfant de faire une bêtise.

Tracker. Il fallait le lui dire. Mais lorsqu'elle tourna les yeux vers le seuil, il ne s'y trouvait plus.

— Un problème ? lui demanda Natalie.

Du coin de l'œil, Sophie vit Meryl examiner un échiquier.

— Il faut que vous trouviez Tracker, dit-elle, faisant semblant d'admirer la figurine de jade que tenait Natalie. Je ne pourrais pas dire pourquoi, mais je pense que notre homme n'est autre que Sir Winston.

Au moment où Natalie se faufilait vers la porte d'entrée, Sophie scruta le flot de passants dans la rue, qui ne tarda pas à happer l'inspecteur. Toujours aucun signe de Tracker. Elle allait retourner vers le comptoir quand elle vit un reflet très intéressant dans un miroir suspendu au mur : Meryl posait un cheval en céramique à côté du premier sur la console. Pivotant sur elle-même, Sophie la regarda glisser le cheval original dans son sac.

— Comment voulez-vous votre hot-dog, monsieur McGuire ? demanda Ramsey.

— Je ne vais pas en prendre. Je ne tiens pas à rester trop longtemps éloigné du magasin, répondit-il.

Quand l'inspecteur lui avait fait signe, il avait traversé la rue pour le rejoindre.

— Du calme, dit Ramsey en étalant de la moutarde sur le sien avant d'ajouter quelques rondelles d'oignon. Mes meilleurs éléments quadrillent le quartier.

— Peut-être, mais deux de nos principaux suspects sont dehors. Noah pourrait les faire entrer n'importe quand, et la partie débuterait.

— Au fait, reprit Ramsey en lui tendant une bouteille d'eau. Notre tireur vient de lâcher un nom.

— Qui ?
— Il dit avoir été engagé par Meryl Beacham.
— Bon sang ! s'exclama Tracker, tournant la tête vers le magasin. Sophie et elle se trouvent à l'intérieur, en ce moment même.
Ils se figèrent en voyant Natalie Gibbs sortir, et l'attendirent.
— Sophie a besoin de vous, dit-elle à Tracker. Elle pense qu'il s'agit de Sir Winston.
— Mes hommes vont s'occuper de lui, dit Ramsey, sortant un talkie-walkie de sa poche.
— Du nouveau ? voulut savoir Natalie.
— Le tireur prétend avoir été embauché par Meryl Beacham, l'informa Tracker. Vous, retournez-y par la porte de la boutique. Ramsey et moi ferons le tour par-derrière. Ne brûlez votre couverture qu'en cas de nécessité.

Sophie braqua le regard sur le revolver que Meryl venait de sortir de son sac.
— Bon déguisement, Sophie, dit Meryl. J'aime surtout la moustache. Et comme je ne vous attendais pas, j'aurais pu me laisser avoir. Mais quand on est sur le point de voler un objet inestimable, on apprend à repérer tous les policiers en civil et autres clandestins.
— Pourquoi, Meryl ? Pourquoi tremper là-dedans ?
— L'argent, le pouvoir, répondit sa voisine avec un petit sourire. Et aussi l'excitation du jeu. C'est grisant de savoir qu'on est plus malin que tout le monde.
Gagne du temps. Tracker va arriver, songeait Sophie. Cela n'aidait pas de regarder l'arme, aussi braqua-t-elle les yeux sur le visage de Meryl.
— Vous ne vous en tirerez pas comme ça, vous savez. Tous vos gestes ont déjà été enregistrés par les caméras.

— Là où j'emporte ceci, répondit Meryl en souriant, les photos ne vaudront rien. Nous ne serons jamais pris. Maintenant allons-y, nous allons sortir par-derrière.

Sophie ne bougea pas.

— Il y a des gardes partout. Vous ne passerez pas.

Meryl rit doucement.

— Oh, je pense que j'irai assez loin avec vous comme otage. Ça aurait été plus simple si vous aviez été tuée hier, ou même ce matin, mais on dirait bien que vous avez neuf vies.

Son sourire disparut.

— Et vous m'avez fait perdre la face devant mon partenaire. Pour cette seule raison, j'aurai un plaisir infini à vous liquider moi-même. Bien, on avance vers le fond, à présent.

— Vous ne me tuerez pas. Morte, je ne vous servirais plus à rien.

— C'est exact, répondit Meryl en la regardant droit dans les yeux. Mais si votre superbe amant arrive à la rescousse, je le tuerai, lui. En route.

Pas de panique, se dit Sophie, en avançant très lentement. Chaque seconde gagnée serait une seconde donnée à Tracker pour lui laisser le temps d'agir. Elles arrivèrent dans le vestibule arrière sans que personne ne soit entré dans le magasin.

Ce ne fut qu'en tapant le code sur le clavier que Sophie se rendit compte que ses mains tremblaient. Elle voulut pousser la porte. En vain.

— On ne perd pas de temps, l'avertit Meryl en lui enfonçant le canon de son pistolet dans les côtes. Une balle peut faire très mal sans tuer.

— Je ne le fais pas exprès, se défendit Sophie. Ils ont installé un nouveau code.

Elle appuya plus posément sur les touches.

— Noah est-il mêlé à tout cela ?

— Il n'a pas été très efficace. Pourtant, son travail était simple. Il devait seulement s'assurer que le bon objet tombait dans les mains du bon client.

— Pourquoi a-t-il accepté ?

— Pour l'argent, d'abord. Et ensuite, par peur. Les enjeux sont énormes. Si tu échoues, tu meurs. Et je n'ai pas l'intention de mourir. Ouvrez la porte, Sophie.

Elle obéit, et scruta la cour. Personne. Meryl lui prit le bras, l'arme enfoncée dans son dos.

— Vers l'allée. J'y ai laissé ma voiture. Pas un geste inconsidéré, sinon je vous loge une balle dans le dos, et vous passerez le restant de vos jours en chaise roulante. Compris ?

Elle hocha la tête. Mais où donc était Tracker ?

— Et si votre petit ami montre son nez, dites-lui de rester à distance. Compris ?

Nouveau hochement de tête. Le revolver s'enfonça plus douloureusement dans son dos.

— Répondez-moi, Sophie.

— Oui, réussit-elle à articuler. J'ai compris.

Puis elles traversèrent lentement la cour dallée. Alors qu'elles mettaient le pied dans l'allée retentit la voix de Tracker.

— Lâchez votre arme, Meryl.

Sophie eut le temps d'enregistrer qu'il se trouvait sur la droite de Meryl. Cette dernière pivota vers lui, arme braquée. Il se déplaça alors et Sophie en profita pour se jeter sur le bras armé de sa voisine.

Alors qu'elle refermait les doigts autour de son poignet, elle vit un éclair de feu, entendit la détonation assourdissante, et elles s'écroulèrent toutes deux sur le sol. La tête de Sophie heurta quelque chose de dur, et elle vit une kyrielle de points lumineux danser devant ses yeux. Ce fut dans un brouillard coloré qu'elle distingua Tracker et Ramsey en train de maîtriser et de menotter Meryl.

Il y avait quelque chose d'important qu'elle devait dire à Tracker, mais quand elle voulut s'asseoir, elle fut incapable de soulever la tête. Cela faisait trop mal. Puis Tracker fut là, près d'elle, et il la tâtait partout d'une main experte, comme il le faisait dans ses rêves. Elle se détendit et ferma les yeux.

— Tu saignes !

Le cri la ramena à la conscience. Elle ouvrit les yeux et tenta d'ajuster sa vision. Mais il y avait maintenant deux Tracker penchés sur elle.

— Tu n'es pas censé hurler, mais tu dois dire « Tu vas bien, princesse. »

— Mais merde, Sophie ! A-t-elle tiré sur toi ? Où ?

— Ouille ! Ne touche pas ma tête. Je crois bien qu'elle est cassée. Mais tu peux me toucher partout ailleurs, si…

— Appelez une ambulance !

Il n'était pas censé hurler. Ce n'était pas dans son rêve.

— Tracker.

Elle ne voyait plus très bien les deux Tracker, maintenant. Ils devenaient gris. Et flous.

— Chut, dit-il, lui prenant la main. Ne parle pas.

— Winston Hughes. Je crois que c'est lui, le Maître des Marionnettes.

Puis elle ferma les yeux et sombra dans le rêve qui l'attendait.

Sophie s'assit dans son lit d'hôpital et balança les jambes pardessus le bord. Sa migraine s'était muée en une douleur lancinante mais supportable, et elle ne voyait plus double. Il n'y avait qu'une seule Mac assise près de son lit. Et un seul Chester installé sur ses genoux. Lucas l'avait introduit en douce dans le bâtiment.

— Je vais m'habiller.

— Taratata, les médecins te gardent encore une nuit, rétorqua Mac. Tu as une commotion cérébrale.

— Je vais bien.

Chester laissa échapper un reniflement méprisant.

Elle le fusilla du regard.

— Ah, tu ne vas pas t'y mettre, toi aussi ! Je vais bien, et il faut que je sorte d'ici. Je dois partir à la recherche de quelqu'un.

Cela faisait plus de vingt-quatre heures qu'elle n'avait pas vu Tracker, et la peur commençait à l'étreindre.

— Si tu sors de ce lit, Sophie, je vais devoir m'extraire de ce fauteuil, menaça Mac en passant la main sur son ventre rebondi. Et le bébé vient juste de s'endormir.

Sophie adressa un regard furibond à son amie.

— C'est du chantage pur et simple.

— Du moment que ça marche, je m'en fiche. J'ai promis à Lucas et à Tracker que je te garderais ici tant qu'ils ne seraient pas arrivés.

— Et quand comptent-ils pointer le bout de leur nez ? grommela-t-elle.

— Dès qu'ils en auront fini avec la police. Lucas m'a appelée pour me donner les dernières informations pendant que les médecins t'examinaient. Millie Langford-Hughes a été totalement blanchie. La seule chose dont elle semble être coupable, c'est sa propension à épouser des malotrus. L'avocat de Meryl l'a convaincue d'accepter l'arrangement que lui proposait la police, et elle est en train de tout raconter par le menu. Quand à Sir Winston, il essaie de leur faire avaler que les deux autres pièces, trouvées dans son coffre-fort, ont été achetées en toute bonne foi.

— Et Noah ?

— Ils lui avaient promis qu'ils l'aideraient à ouvrir son propre commerce s'il apportait son aide. Selon Meryl, telle avait été la « carotte ». Quand Jayne Childress a été assassinée, il a compris que le jeu n'en était pas un, et c'est parce qu'il craignait pour sa vie qu'il a continué.

— Je vais lui prendre un avocat, décida Sophie. A sa place, j'aurais peut-être fait la même chose. Au début, il ne pouvait pas savoir dans quoi il mettait les pieds.

— Tracker avait prédit que tu réagirais ainsi.

— Vraiment ?

Cet homme avait apparemment le temps de parler à tout le monde, sauf à elle.

— Vraiment, répondit une voix grave.

Elle tourna la tête et sentit son cœur faire un bond dans sa poitrine en l'apercevant sur le seuil, en compagnie de Lucas. En elle, le soulagement se mêla à un furieux désir de courir lui sauter dans les bras. Mais elle avait un petit jeu en tête.

— Je crois que je commence à comprendre la manière dont fonctionne ton esprit, princesse.

Elle leva le menton.

— Il faut qu'on parle.

Mac se leva.

— Viens, Lucas. Allons faire un tour à la pouponnière. J'emmènerais bien Chester avec nous, mais je ne crois pas que les puéricultrices seraient d'accord.

Tracker ne pensait pas avoir jamais vu une pièce se vider aussi vite.

— Beau départ, princesse.

L'agressivité de sa voix, la raideur de sa posture l'assurèrent, bien mieux que ce qu'avaient pu dire les médecins, qu'elle allait parfaitement se remettre.

Même dans la chemise de nuit peu seyante de l'hôpital et avec un bandage autour de la tête, elle avait quand même l'allure d'une princesse. La peur qui s'était emparée de lui quand il avait découvert qu'elle était blessée commença enfin à s'atténuer.

Elle était sauve, et elle était à lui. Et il avait un plan. Comme il se doutait qu'elle devait également en avoir un en tête, il referma la porte et poussa subrepticement le loquet. Puis il brandit le bouquet de marguerites qu'il cachait jusque-là dans son dos.

— Tiens. C'est pour toi.

— Tu m'as apporté des fleurs, bégaya-t-elle, éberluée.

— Oui.

Comme elle ne faisait pas mine de les prendre, il les posa sur ses genoux.

— Pourquoi ? Non, dit-elle aussitôt, l'arrêtant d'un geste de la main. Tu les as apportées car tu es un homme doux et prévenant. Elles sont magnifiques.

Elle les souleva à hauteur de regard et les contempla un bon moment.

Jusqu'ici, tout va bien, se dit-il. Et il allait sortir la boîte qu'il avait dans la poche quand il vit couler la première larme sur sa joue.

— Sophie ?

Elle lui lança le bouquet et s'essuya rageusement la joue.

— Je sais exactement ce que tu es en train de faire. Tu m'offres des fleurs pour atténuer le choc quand tu vas me dire que tu ne veux plus me revoir. En me servant un gros bobard sur le fait qu'on a rien en commun. Qu'on vient de mondes différents. Et ensuite, tu vas retourner te faufiler dans tes ombres chéries. Eh bien, je ne marche pas.

— Ah non ?

Il avait eu tort d'un bout à l'autre. Il n'avait toujours pas la moindre idée du mode de fonctionnement de son esprit.

— Non, répéta-t-elle en s'essuyant la joue. Je ne veux plus d'une aventure avec toi.

La douleur l'assaillit tel un coup de poing dans l'estomac.

— Les aventures sans engagement ne valent pas mieux que les aventures d'une nuit. N'importe lequel d'entre nous aurait pu décider de faire sa valise et de s'en aller.

Elle planta son regard dans le sien, et il y vit se refléter toutes les frayeurs qui l'avaient harcelé au cours des dernières vingt-quatre heures. Elle avait peur de le perdre tout autant que lui de la perdre. Comment avait-il pu songer qu'ils étaient différents, alors qu'ils étaient tellement semblables ?

— Je veux t'épouser, dit-elle.

Pour la deuxième fois en moins de deux minutes, il eut le sentiment de recevoir un uppercut en plein estomac.

— Sophie.

Il avança vers elle, mais elle l'arrêta d'un geste.

— Tu n'arriveras pas à m'en dissuader. C'est le mariage ou rien.

Il ouvrit la bouche, la referma. Autant pour la proposition qu'il avait préparée ! Sophie Wainright était définitivement imprévisible.

Un sourire effleura lentement ses lèvres.

— D'accord. On se marie.

Elle se renfrogna.

— Je ne plaisante pas. D'ailleurs, on va régler cela de la même manière qu'on a commencé, à pile ou face.

Elle sortit du lit, gagna le placard et fouilla dans la poche de son jean à la recherche d'une pièce.

— Face, on se marie. Pile, tu retournes à tes chevaux et à ton Jerry et on ne se revoit jamais.

— D'accord.

Elle fit brusquement volte-face et le fixa.

— Tu veux vraiment décider de notre avenir à pile ou face ?

— Oui, si tu le veux aussi. Chiche !

Elle plissa les yeux. Des yeux au regard intense.

— Génial, vraiment ! Tu es prêt à laisser notre futur dépendre d'un pari stupide !

En voyant le feu de ses yeux, il la rejoignit, l'attrapa par les bras, la souleva et la reposa sur son lit. Puis il s'assit près d'elle et lui prit les mains.

— Sophie, j'y suis prêt parce que ta pièce est truquée.

Elle le fixa, interdite.

— Comment as-tu…

— Cette pièce, c'est moi qui l'ai offerte à Mac en cadeau de mariage. Je savais qu'elle cherchait des éléments pour ses recherches et je me suis dit qu'elle en aurait l'usage.

— Mais alors… tu le savais depuis le début ?

— Non. Je l'ai compris la deuxième ou la troisième fois, quand ça tombait toujours sur face.

Elle réfléchit un moment.

— Je veux quand même me marier.

— Et si on essayait la manière traditionnelle, pour une fois ?

Il tomba à genoux près du lit, sortit un écrin de sa poche et l'ouvrit.

— Je t'aime, Sophie Wainright, et je te demande de m'épouser.

Elle contempla la bague, bouche bée. Des pierres de chaque nuance de l'arc-en-ciel encerclaient un diamant. Une larme coula sur sa joue.

— Ce n'est pas une bague traditionnelle. Tu pourras la changer si tu veux, mais elle m'a fait penser à toi.

— Je l'aime déjà.

Quand il la lui glissa au doigt, une autre larme lui échappa. D'autres se rassemblèrent dans sa gorge alors qu'elle croisait son regard.

— Je t'aime, T. J. McGuire, et j'avais si peur de te perdre.

— Moi aussi, princesse, dit-il en l'attirant à lui et en posant la joue sur ses cheveux. On se ressemble tellement.

Chester poussa un soupir de satisfaction sur sa chaise.

Alors, Sophie s'écarta.

— Si on se ressemble autant que cela, tu dois savoir à quoi je pense en ce moment même.

Il fronça les sourcils, méfiant.

— Du calme. Je pensais juste que tu viens de me faire deux cadeaux, et que je ne t'en ai fait aucun.

Elle tendit la main vers son sac et en sortit un coupon, qu'elle lui donna.

Il sourit. Cette surprise-là, il s'en était douté, et c'était bien pour cela qu'il avait verrouillé la porte.

— Ici ?

— Et maintenant.

— Tes désirs sont des ordres, princesse.

Elle lui mordillait déjà l'oreille lorsqu'il la renversa sur le lit. Une seconde plus tard, il avait déboutonné sa braguette et libéré son érection. Elle était si belle et elle était à lui.

— J'ai aussi le ruban noir… si tu es chiche, murmura-t-elle, glissant la pointe de sa langue dans son oreille.

— Pas avant que tu ne sois sortie de cet hôpital.

Il la pénétra. Et, comme chaque fois qu'ils faisaient l'amour, il eut un sentiment d'achèvement.

— Mais après, souffla-t-il, tant que je serai avec toi, je serai partant pour tout.

— Moi aussi, T. J. Moi aussi.

Unis, ils commencèrent à se mouvoir.

Épilogue

— Je ne veux pas te quitter.

Tracker réprima un sourire en déballant le pique-nique qu'avait préparé Jerry. En grande forme, sa princesse arpentait le sol sous le saule. Même une folle chevauchée sur Perséphone n'avait pas réussi à la calmer. Bon, d'accord, il pouvait comprendre. D'autant que son propre estomac faisait également des siennes. Ce n'est pas tous les jours qu'on se marie, et il voulait faire cela bien.

— Qui a pensé à cette tradition ridicule selon laquelle il ne faut pas que la mariée voie son fiancé le jour du mariage ? J'ai dit à Mac que je ne marcherais pas dans ce truc.

Et c'était bien pour cela qu'il avait reçu l'appel au secours de la femme de son ami. Il emplit deux verres de vin et se remémora son plan. Après quatre mois de vie commune, il essayait encore de trouver la méthode pour manœuvrer Sophie. Quelque chose lui disait qu'il allait lui falloir une vie pour la trouver. Une vie pleine de passion, de couleur, de défis et d'amour. Ça, il pourrait s'en arranger.

— Je ne vois pas pourquoi je devrais passer la nuit précédente dans la maison Wainright pendant que tu restes seul ici, se plaignit-elle.

Plusieurs réponses lui vinrent à l'esprit, mais toutes étaient annonciatrices de désastre. Le Dr Mackenzie Lloyd était une femme en mission. Il n'en revenait encore pas qu'une chercheuse en biologie, qui plus est enceinte de huit mois, ait encore le temps ou l'énergie de préparer un mariage. Mais Mac s'était jetée dans les préparatifs avec la détermination d'un général d'infanterie. Elle tenait à offrir une journée de rêve à sa meilleure amie.

Sur ce point, au moins, leurs avis convergeaient. Et il n'avait plus qu'à espérer le succès de sa stratégie présente.

— Tu ne dis rien, reprit Sophie en s'immobilisant. Serais-tu d'accord avec Mac ? Est-ce que tu veux vraiment passer la nuit loin de moi ?

En place pour le premier barrage d'artillerie.

— Oui, à la première question. Et je vais passer sur la deuxième.

— Passer ? répéta-t-elle, plissant les yeux. Tu le fais exprès afin d'avoir une pénalité.

Il lui sourit et lui tendit la main.

— Tu lis en moi comme dans un livre ouvert, princesse.

Elle se rapprocha lentement de lui.

— Et je suppose que tu penses pouvoir me distraire et m'apaiser au moyen d'un gros câlin ?

— C'est en effet mon but.

Au moment où elle le rejoignit sur la couverture, il lui prit les mains.

— Mais d'abord, j'ai une question à te poser, et je tiens à ce que tu y répondes.

Au changement dans son regard, Sophie comprit qu'il était sérieux.

— D'accord.

— As-tu peur de te plier à la tradition parce que tu as encore peur que je te quitte ?

Dans ses yeux, elle vit comme toujours le parfait reflet de ses propres craintes, de ses propres doutes. Comment pouvait-elle oublier leur incroyable similitude ? Elle s'exhorta au calme et lui serra la main.

— Non. Je n'en ai plus peur.

— Bien. Alors oui, je pense comme Mac que nous devrions passer séparément la nuit précédant notre mariage. Je crois que je deviens un brin traditionaliste.

Cette idée donna envie de rire à Sophie. Et envie de pleurer, aussi.

— Pas trop traditionaliste, j'espère.

— Juste assez, répondit-il en souriant, pour avoir envie d'offrir à ma promise un cadeau de mariage. Et... pas assez pour te demander de l'ouvrir tout de suite.

Quand il sortit un écrin de sa poche, elle le fixa.

— Ce n'est pas le gage, quand même ?

— Fais-moi confiance, princesse.

Elle le fit, et après avoir ouvert la petite boîte, elle y trouva deux moitiés de pièce en or réunies par un ruban de velours noir.

— T. J., c'est magnifique.

— C'est nous, dit-il en lui nouant le ruban autour du cou. Cette nuit, quand nous ne dormirons pas ensemble, je veux que tu portes ce bijou et que tu te souviennes que nous sommes les deux moitiés d'une même pièce.

Les yeux pleins de larmes, elle l'attira à elle, et quand leurs bouches se rencontrèrent, elle se perdit dans leur baiser jusqu'à percevoir ce sens de l'unité dont il venait de parler.

Avant de perdre tout à fait le contrôle, Tracker s'écarta légèrement.

— Et le ruban noir est censé te rappeler autre chose, aussi.

Elle lui sourit, se demandant comment il faisait pour lui donner systématiquement envie de pleurer et de rire à la fois. Alors elle le renversa et s'installa à califourchon sur lui.

— Je n'ai pas oublié. Un de ces jours, j'arriverai à faire ce truc du ruban. Il faut juste que je m'entraîne encore un peu.

— Je peux t'offrir une vie d'entraînement, princesse.

— Marché conclu.

Elle se pencha alors et couvrit sa bouche de la sienne.

Chère lectrice,

Vous nous êtes fidèle depuis longtemps?
Vous venez de faire notre connaissance?

C'est pour votre plaisir que nous avons imaginé un rendez-vous chaque mois avec vos auteurs préférés, vos AUTEURS VEDETTE *dans les collections* Azur *et* Horizon.

Les AUTEURS VEDETTE *vous donneront rendez-vous pour de nouveaux livres vedette.*

Pour les reconnaître, cherchez l'étoile... Elle vous guidera!

Éditions Harlequin

LE FORUM DES LECTEURS ET LECTRICES

CHERS(ES) LECTEURS ET LECTRICES,

VOUS NOUS ETES FIDÈLES DEPUIS LONGTEMPS?

VOUS VENEZ DE FAIRE NOTRE CONNAISSANCE?

SI VOUS AVEZ DES COMMENTAIRES, DES CRITIQUES À FORMULER, DES SUGGESTIONS À OFFRIR, N'HÉSITEZ PAS… ÉCRIVEZ-NOUS À:

LES ENTERPRISES HARLEQUIN LTÉE.
498 RUE ODILE
FABREVILLE, LAVAL, QUÉBEC.
H7R 5X1

C'EST AVEC VOS PRÉCIEUX COMMENTAIRES QUE NOUS ALLONS POUVOIR MIEUX VOUS SERVIR.

DE PLUS, SI VOUS DÉSIREZ RECEVOIR UNE OU PLUSIEURS DE VOS SÉRIES HARLEQUIN PRÉFÉRÉE(S) À VOTRE DOMICILE, NE TARDEZ PAS À CONTACTER LE SERVICE D'ABONNEMENT; EN APPELANT AU (514) 875-4444 (RÉGION DE MONTRÉAL) OU 1-800-667-4444 (EXTÉRIEUR DE MONTRÉAL) OU TÉLÉCOPIEUR (514) 523-4444 OU COURRIER ELECTRONIQUE: AQCOURRIER@ABONNEMENT.QC.CA OU EN ÉCRIVANT À:

ABONNEMENT QUÉBEC
525 RUE LOUIS-PASTEUR
BOUCHERVILLE, QUÉBEC
J4B 8E7

MERCI, À L'AVANCE, DE VOTRE COOPÉRATION.

BONNE LECTURE.

HARLEQUIN.

VOTRE PASSEPORT POUR LE MONDE DE L'AMOUR.